Les mardis
au château

Les mardis au château

Jessica Day George

Traduit de l'anglais par
Catherine Vallières

Éditeur : François Doucet
Traduction : Catherine Vallières
Révision linguistique : Daniel Picard
Correction d'épreuves : Nancy Coulombe, Katherine Lacombe
Conception de la couverture : Mathieu C. Dandurand
Photo de la couverture : © Thinkstock
Mise en pages : Sébastien Michaud
ISBN papier 978-2-89733-469-7
ISBN PDF numérique 978-2-89733-470-3
ISBN ePub 978-2-89733-471-0
Première impression : 2013
Dépôt légal : 2013
Bibliothèque et Archives nationales du Québec
Bibliothèque Nationale du Canada

Éditions AdA Inc.
1385, boul. Lionel-Boulet
Varennes, Québec, Canada, J3X 1P7
Téléphone : 450-929-0296
Télécopieur : 450-929-0220
www.ada-inc.com
info@ada-inc.com

Diffusion
Canada :   Éditions AdA Inc.
France :   D.G. Diffusion
                  Z.I. des Bogues
                  31750 Escalquens — France
                  Téléphone : 05.61.00.09.99
Suisse :   Transat — 23.42.77.40
Belgique :   D.G. Diffusion — 05.61.00.09.99

Imprimé au Canada

Participation de la SODEC.

Nous reconnaissons l'aide financière du gouvernement du Canada par l'entremise du Fonds du livre du Canada (FLC) pour nos activités d'édition.
Gouvernement du Québec — Programme de crédit d'impôt pour l'édition de livres — Gestion SODEC.

Pour Melanie :
Une extraordinaire éditrice !

Chapitre 1

À toutes les fois que le château Malicieux s'ennuyait, il faisait apparaître une ou deux nouvelles pièces. C'était habituellement les mardis, quand le roi Malicieux écoutait les requêtes. Les gardes du portail principal avaient alors le devoir d'expliquer aux visiteurs les deux seules règles apparemment en vigueur.

Règle numéro un : la salle du trône était toujours à l'est. Peu importe où vous vous trouviez dans le château, si vous vous dirigiez vers l'est, vous finissiez par aboutir dans la salle du trône. Le seul piège était de savoir de quel côté se situait l'est, particulièrement si vous vous promeniez dans un couloir sans fenêtre. Ou si vous étiez dans le donjon.

C'était la raison pour laquelle la plupart des invités s'en tenaient à la règle numéro deux : si vous tourniez à gauche trois fois de suite et que vous sautiez par la première fenêtre, vous arriviez aux cuisines, puis un membre du personnel pouvait vous escorter à la salle du trône ou à l'endroit de votre choix.

Celie se pliait à la règle numéro deux uniquement lorsqu'elle voulait s'emparer d'une gâterie aux cuisines, et elle se conformait à la règle numéro un lorsqu'elle voulait voir son père au travail. Son père était le roi Malicieux LXXIX (c'est-à-dire le soixante-dix-neuvième du nom), et, comme lui, Celie savait toujours où se trouvait l'est.

Comme lui également, Celie aimait vraiment le château Malicieux. Ça lui était égal d'arriver en retard à ses cours simplement parce que le couloir à l'extérieur de sa chambre était devenu deux fois plus long, et ça ne la dérangeait nullement que le plancher de la nouvelle pièce de l'aile sud soit rebondissant. Même si on ne pouvait s'y rendre qu'en grimpant par la cheminée de la salle à manger d'hiver.

Le roi Malicieux LXXIX, pour sa part, appréciait la ponctualité et détestait être en retard pour le dîner en raison d'un nouveau couloir apparu soudainement depuis la grande salle, passant sous la cour et aboutissant dans les pâturages, couloir à l'intérieur duquel les moutons s'étaient introduits pour brouter les tapisseries. Il n'aimait pas particulièrement non plus attendre durant des heures l'ambassadeur du Bendeswe, pour finalement se rendre compte que le château avait retiré la porte de chambre de cet ambassadeur, confinant ce dernier à l'intérieur. Bien sûr, le roi devait admettre qu'il y avait une curieuse logique aux modifications du château. L'ambassadeur du Bendeswe, par exemple, s'était avéré un espion, et les moutons… bon, dans ce cas, ce n'avait été qu'une petite folie passagère ; mais en cherchant bien, on pouvait déceler une certaine logique. Le roi Malicieux l'admettait ouvertement, et son respect envers le château était manifeste. Il n'avait pas le choix, sinon il ne serait pas demeuré roi.

Le château ne semblait accorder aucune importance à la lignée royale, au courage ou à l'intelligence. Non, le château Malicieux choisissait les rois selon d'autres critères qui lui étaient propres. Le père de Celie, Malicieux LXXIX, était le dixième de la famille à porter ce titre et, au pays, on n'en était pas peu fier. Son arrière-arrière-arrière-arrière-arrière-arrière-arrière-arrière-grand-père était devenu roi quand il s'était avéré que le seul héritier de Malicieux LXIX (c'est-à-dire le soixante-neuvième du nom) était plutôt cornichon. Selon la légende, le château avait guidé le vieux barbier du roi à la salle du trône à maintes reprises durant des jours, par des séries de couloirs changeants, jusqu'à ce que le Conseil royal le déclare futur roi, tandis que le jeune homme qui aurait dû être nommé Malicieux LXX (c'est-à-dire le soixante-dixième du nom) s'était retrouvé tête la première dans une botte de foin après avoir été éjecté de force du château par les toilettes.

Le roi Malicieux LXXIX, Seigneur du château, Maître de la mer Saline, et Souverain du pays de Sleyne, savait très bien quand il devrait partir de lui-même. Il avait épousé la jolie fille du sorcier royal lorsque le château les avait guidés dans la même pièce et qu'il les y avait enfermés pour une journée. Lorsque le château octroyait de plus grandes pièces ou des chaises plus confortables à certaines personnes, le roi y prêtait attention. Lorsque Bran, son fils aîné, s'était mis à trouver quantité de livres et d'astrolabes dans sa chambre, tandis que celle de son deuxième fils, Rolf, avait été déplacée juste à côté de la salle du trône, le roi Malicieux décida d'envoyer Bran au Collège de sorcellerie, et désigna Rolf héritier.

Et lorsque la petite Celie était malade et que le château emplissait sa chambre de fleurs, le roi était d'accord. Tous adoraient Celie, la quatrième et la plus charmante des enfants royaux.

Chapitre 2

— Tout le monde me déteste, ronchonna Celie.

    — Personne ne te déteste, dit Lilah, sa sœur, sur un ton rassurant. Mais c'est vrai que tu as tendance à sauter.

— Il n'y a rien de mal à sauter, insista Celie.

— En effet, acquiesça son frère Rolf, qui arrivait dans la pièce. Viens, sautons, là, tout de suite !

Il décocha à Lilah un large sourire qui ne manquerait pas de l'exaspérer, puis, prenant les mains de Celie, ils commencèrent à sauter sur place. Celie en oublia de faire la moue et elle se mit à rire. Rolf arrivait toujours à la faire rire.

Lilah repoussa ses cheveux bruns vers l'arrière pour signifier à Rolf qu'il était ridicule, et elle se dirigea vers la fenêtre. Ils étaient dans la chambre de Lilah, pièce plutôt grande et magnifique qui occupait une section étroite de l'aile nord. D'un côté, les fenêtres donnaient sur la cour principale, et de l'autre, un balcon surplombait un genre d'atrium avec une fontaine en son centre. Lilah regardait la cour, observant le carrosse de voyage de ses parents, qu'on était à remplir de couvertures et de romans en prévision du départ du roi et de la reine.

Celie cessa de sauter.

— Déjà épuisée ?

Rolf s'effondra sur le lit de Lilah, faisant ainsi tomber plusieurs petits coussins sur le plancher.

— Comme ça, tu aimes vraiment sauter, n'est-ce pas, Celie ?

— Plus maintenant, marmonna-t-elle.

— Je vais devoir grimper dans la cheminée qui mène à la nouvelle pièce, continua Rolf, ne l'ayant pas entendue. Pour m'exercer.

À bout de souffle, il se tenait la poitrine.

Celie aperçut deux valets costauds qui s'apprêtaient à déposer un coffre de la taille d'un cercueil dans la charrette à bagages placée à côté du carrosse. Ses parents partaient pour un long voyage, mais ils ne l'emmenaient pas. C'est pourquoi elle s'était auparavant rendue à la salle du trône, où elle traînait dans les jambes de tout le monde, jusqu'à ce que Lilah l'attire à l'étage en lui promettant des pommes au caramel.

— Il n'y a même pas de pommes au caramel, se plaignit-elle.

— Des pommes au caramel ! Où ça ? dit Rolf, qui sauta en bas du lit.

— Il y en aura, expliqua patiemment Lilah, lorsque Père et Mère seront partis. La cuisinière a dit que nous pourrions nous en faire ce soir après le dîner.

— Excellent, s'exclama Rolf. J'adore les pommes au caramel. Avec du chocolat, et de la cannelle.

Il se frotta les mains d'envie. Il était grand et blond, et ses palettes croches lui donnaient un air attendrissant.

Celie, qui était blonde aussi, mais petite (après tout, elle n'avait que 11 ans), jeta un regard noir à son frère.

— Je préférerais partir avec papa et maman, dit-elle, sachant qu'elle faisait l'enfant gâté. Mais, si vous ne souhaitez que vous remplir l'estomac, vous pouvez rester ici.

— Cecelia ! dit Lilah d'une voix tranchante.

Lilah était grande, et, lorsqu'elle se tenait à côté de Rolf, leur ressemblance avec le roi et la reine était à la fois frappante et impressionnante.

— Tu sais très bien que nous ne pouvons pas nous rendre au Collège de sorcellerie ; alors ne joue pas les mal élevées.

— Je sais que *Rolf* ne peut pas y aller, geignit Celie.

Son tuteur lui avait expliqué qu'un roi et son successeur ne peuvent jamais voyager ensemble, et ce, pour parer à l'éventualité d'un accident.

— Mais je ne comprends pas pourquoi *je* ne peux pas assister à la remise des diplômes de Bran.

— Parce que Père a dit non, et qu'il est le roi, trancha Lilah.

— En tout cas, c'est une raison ridicule, dit Celie, sachant, et ça lui était égal, que son attitude était encore plus enfantine.

Se faufilant entre son frère et sa sœur, elle sortit de la chambre. Elle s'arrêta un instant dans le couloir et entendit Lilah qui disait : « Ah, laisse-la partir, Rolf. Elle a décidé de faire sa difficile. »

Celie s'éloigna d'un pas lourd. Elle trouva un escalier, le monta, traversa un couloir, escalada un autre escalier et poursuivit son chemin. Comme elle se déplaçait sans son atlas, elle n'était pas certaine d'avoir déjà vu cette cage d'escalier, mais elle était résolue à rester de mauvaise humeur et se disait que ça ne la dérangerait pas de se perdre.

Elle ne croyait d'ailleurs pas vraiment en cette possibilité. Tous les enfants royaux connaissaient très bien les règles, et d'ailleurs, il était assez évident que le château aimait ces enfants. Celie essayait tout de même de créer un atlas du château Malicieux, le tout premier atlas, et elle se promenait donc normalement avec des crayons de couleur et du papier afin de pouvoir faire un croquis de toute nouveauté. Jusqu'à maintenant, elle avait dessiné 300 pages de cartes, et elle pouvait se rendre aux pièces principales (les salles à manger d'hiver et d'été, la chapelle, la bibliothèque et la salle du trône) en un temps record, dans la mesure où le château ne décidait pas de prendre de l'expansion pour tromper l'ennui.

En haut des marches, elle ne trouva qu'une petite pièce ronde. Comme elle n'avait pas envie de redescendre tout de suite, elle resta sur place pour explorer les lieux. La pièce comptait quatre fenêtres, une dans chaque direction géographique. Celie pouvait voir les montagnes autour de la petite vallée en forme de coupe qui abritait le château. Il y avait une lunette d'approche en or à chaque fenêtre. Elle regarda dans celle de la fenêtre qui donnait à l'est, et elle vit les pentes des montagnes Indigo, parsemées de petits villages où vivaient principalement des bergers.

Elle regarda ensuite vers le sud. Elle y vit la route principale qui sillonnait entre les montagnes vers la ville de Sleyne, où se trouvait le Collège de sorcellerie. Soudain redevenue triste à cette pensée, elle se tourna vers le centre de la pièce.

Outre les longues-vues, il n'y avait dans la pièce qu'une table sur laquelle étaient éparpillés quelques objets. Elle remarqua un rouleau de corde, un livre, une boussole et une grosse boîte remplie de biscuits durs au pain d'épice. Celie en prit un. C'était le genre de gâteries que l'on distribuait souvent au milieu de l'hiver, lorsque des invités arrivaient sans prévenir et que la cuisinière n'avait pas le temps d'en préparer de plus fraîches.

— Depuis combien de temps sont-ils ici ?

Celie fronça les sourcils. Elle s'était presque cassé une dent en mordant le biscuit qu'elle avait à la main. Les biscuits étaient peut-être là depuis une centaine d'années, et ils seraient probablement encore bons dans 100 ans à venir.

Elle retourna à la fenêtre pour y balancer son biscuit sur une partie plane du toit en contrebas, où il se brisa en morceaux. Des moineaux se jetèrent dessus, puis piaillèrent de dégoût. Celie regarda ensuite plus bas dans la cour principale, où elle vit ses parents qui se tenaient devant leur carrosse de voyage. Rolf et Lilah étaient avec eux, ainsi que le domestique et d'autres employés du château.

— Ah non !

Ses parents partaient, et elle n'était pas là pour leur dire au revoir ! Elle avait pensé se cacher jusqu'à leur départ, pour qu'ils se sentent coupables, mais elle avait maintenant vraiment envie de leur faire un câlin. Elle sortit de la pièce ronde à toute vitesse et regarda l'escalier en colimaçon avec désespoir.

Elle s'appuya contre le mur, soudainement épuisée par toutes les émotions de la journée, et elle se rendit compte qu'elle était appuyée sur une autre porte. Avait-elle toujours été là ? C'était une porte étroite que Celie poussa sans enthousiasme, convaincue qu'il s'agirait uniquement d'un petit placard et qu'elle devrait ensuite se dépêcher davantage pour réussir à rejoindre ses parents à temps.

À son plus grand plaisir, c'était un toboggan. Un toboggan de pierre qui suivait le tracé de l'escalier. Celie prit place, coinça ses jupes entre ses genoux et se donna un élan.

Elle ne put s'empêcher de rire en dévalant les courbes et les virages en tire-bouchon qui devaient finalement l'amener à toute vitesse en bas du château, au bord de la cour, à une dizaine de pas de l'endroit où se tenaient ses parents.

Celie se remit sur ses pieds, replaça ses vêtements et ses cheveux, ne sachant pas si ses parents seraient fâchés contre elle. Elle avait traîné tout l'avant-midi dans la salle du trône et dans les appartements privés de ses parents, dans l'espoir que, si elle se trouvait assez souvent sur leur chemin, ils finiraient par céder et l'emmener. Finalement, le roi avait crié à Lilah de «faire quelque chose de sa petite sœur».

— Viens, ma chérie, dit alors la reine Celina, en lui tendant les bras.

Celie courut vers sa mère et la serra fort dans ses bras. La reine sentait toujours bon la fraise, et tous s'accordaient pour dire qu'elle était aussi belle à 40 ans qu'à l'âge de son mariage avec le roi. Grande, mince et digne, avec de longs cheveux foncés relevés à l'aide de peignes d'or, elle portait une robe de voyage d'un vert pâle qui mettait ses yeux en valeur.

— Tu vas me manquer, murmura Celie, appuyée contre la taille de sa mère.

— Tu vas me manquer toi aussi, répondit la reine. Vous allez tous me manquer, mes chéris. Mais nous ne serons pas partis très longtemps. Nous allons à la cérémonie de remise des diplômes de Bran, puis nous serons tous de retour par la suite.

— Bran aussi?

— Bran aussi, la rassura la reine Celina. À son retour, il sera le nouveau sorcier royal.

Elle sourit tristement. Le sorcier royal précédent, son père, était décédé deux ans auparavant.

La reine fit faire un demi-tour à Celie et la poussa gentiment vers le roi. Celui-ci tentait de garder un air sérieux, mais son visage ne tarda pas à s'adoucir, et il tendit les bras vers sa fille.

— Viens ici, ma Celia-delia, l'invita-t-il.

Celie sauta dans les bras de son père et s'enfouit le visage dans son cou. La robe de voyage du roi était ornée d'un col de fourrure qui chatouillait le nez de la fillette.

— J'ai encore envie d'y aller, dit-elle.

— Pas cette fois-ci, ma puce, répondit-il. Quand tu seras plus grande, je t'emmènerai à Sleyne et je te montrerai toutes les attractions.

— Je pourrais les voir maintenant, suggéra raisonnablement Celie. Avec toi, maman et Bran.

— Une autre fois, rétorqua son père.

Il la redéposa sur le sol et lui détacha les bras de son cou.

— De plus, le château a besoin de toi. Je ne voudrais pas le fâcher en t'emmenant trop longtemps.

— Zut alors !

Celie était malgré tout flattée. Elle était heureuse d'imaginer que le château l'aimait vraiment, et elle était fière que son père l'ait remarqué.

— D'ailleurs, quelqu'un doit me surveiller, dit Rolf, d'un air décontracté, en mettant un bras autour des épaules de sa petite sœur pour l'attirer vers lui.

— Ne vous en faites pas, Mère, poursuivit Lilah en l'embrassant sur la joue. Je vais les surveiller tous les deux.

Celie et Rolf levèrent les yeux au ciel. Ils savaient ce que cela signifiait : Lilah serait tour à tour reine et matrone, et elle leur ordonnerait de prendre leurs repas du soir dans la salle à manger d'été, vêtus de leurs habits d'apparat. Elle leur rappellerait sans cesse de manger des légumes et de ne pas faire de bruit avec leur soupe. Celie se demanda combien de temps mettraient ses parents pour se rendre à Sleyne, assister à la cérémonie de Bran et le ramener à la maison. Plus de deux semaines de soins maternels dispensés par Lilah suffiraient à les rendre fous.

Mais, pour l'instant, ses parents étaient dans le carrosse, saluant leurs enfants de la main tandis qu'ils passaient le portail pour s'engager sur la longue route vers Sleyne. Ils continuèrent ainsi à agiter la main jusqu'à ce qu'ils ne puissent plus être vus des enfants, en raison de la charrette de bagages et des soldats à cheval alignés en rangs derrière le cortège.

— Bon, vous deux, annonça brusquement Lilah, retournez au château. Il fait un peu frisquet, et je ne veux pas que vous preniez froid.

— Lilah, dit Rolf.

— Oui, mon cher ?

— Tague ! C'est toi la tague !

Rolf lui donna une tape sur le bras et s'enfuit en courant.

Lilah hurla d'indignation, mais Celie ne resta pas pour voir ce qui allait arriver. Une bonne partie de tague pouvait durer des jours au château, et Lilah était connue pour tricher.

Chapitre 3

C'était un mardi. Celie attendait de voir ce que ferait le château.

Ses parents étaient partis depuis presque deux semaines, et une routine s'était installée en ces lieux. Rolf assumait toutes les tâches royales mineures possibles, Lilah avait la responsabilité des domestiques et Celie travaillait à son atlas. Leurs parents étaient partis un jeudi et, mis à part la petite tourelle avec les longues-vues aux fenêtres découverte par Celie, le château n'avait pas beaucoup changé.

Rolf, âgé de 14 ans, avait consacré le mardi suivant à l'audition des requêtes, mais il n'y avait eu aucun problème directement lié au château. Cependant, tous les villageois, fermiers et bergers s'étaient déplacés depuis des kilomètres à la ronde pour venir raconter des querelles de terrain et de cours d'eau, ou formuler des revendications de familles, dans l'espoir que la naïveté de Rolf le pousse à trancher en leur faveur. Certaines personnes, espérant sournoisement un dénouement différent, avaient soulevé des questions auxquelles le roi Malicieux avait déjà répondu ; d'autres étaient même allées jusqu'à inventer des catastrophes naturelles (inondations, épidémies de variole de la chèvre) afin que la Couronne leur donne de l'argent pour les dédommager.

Malgré le jeune âge de son fils, le roi Malicieux avait une très bonne raison d'avoir prêté attention au château lorsque celui-ci avait manifesté une préférence pour Rolf plutôt que pour Bran. C'est que Rolf n'était pas stupide. Il s'assoyait aux côtés de son père dans la salle du trône depuis sa tendre enfance, et il connaissait la majorité des gens de la vallée.

Rolf se rappelait par exemple qu'Osric Swann avait obtenu une somme généreuse pour reconstruire son moulin après la toute dernière inondation, et qu'il n'y avait pas eu d'autre inondation depuis. Il savait que Pogue Parry se disputait avec quelqu'un presque chaque semaine, que c'était presque toujours de la faute de Pogue et qu'il n'y avait pas de raison pour que la Couronne s'en mêle. Il savait que les chèvres de Delcoe Ross étaient souvent maigres et mal en point, mais uniquement parce que ce dernier se montrait radin et qu'il les nourrissait à peine assez pour assurer leur survie.

— Maître Ross, veuillez rentrer chez vous et nourrir votre bétail à l'avoine, ordonna Rolf à l'homme à la mine revêche. La Couronne a déjà payé à maintes reprises pour les soins médicaux de vos bêtes. Si vous n'avez pas déjà utilisé cet argent à des fins personnelles, je vous recommande de l'utiliser pour vos animaux.

Il glissa subtilement une main sous le trône et donna une pichenette à Celie. Celle-ci repoussa d'une tape la main de Rolf. Celie était accroupie sous le siège du trône, dont la base avait la forme d'une boîte, et elle était occupée à tracer le schéma du couloir qui menait des quartiers des domestiques à la salle du trône. À cette extrémité-ci du couloir, la porte était dissimulée par une tapisserie derrière le trône, et, du côté des domestiques, la porte était cachée dans un placard à balais. Le couloir empruntait un parcours sinueux où surgissaient occasionnellement des portes vers d'autres pièces. Elle avait promis à la gouvernante qu'elle en ferait le plan et qu'elle en distribuerait des copies à quelques-unes des nouvelles bonnes. C'était le chemin le plus rapide vers la salle du trône, mais il fallait le suivre en ligne droite, sans quoi on aboutissait à la bibliothèque ou dans la chambre de Lilah. Ce raccourci vers la salle du trône était parfait, sauf le lundi, jour de nettoyage de cette pièce. La gouvernante n'aimait pas que les nouvelles bonnes se perdent et se retrouvent on ne sait où.

— Et maintenant?

Rolf essayait à peine de masquer son impatience. Plusieurs solliciteurs de la semaine précédente étaient revenus lui faire part des mêmes problèmes, et Rolf avait chuchoté à Celie un peu plus tôt que les gens devaient le prendre pour le dernier des imbéciles, car ils recommençaient sans cesse le même manège.

— Je me demandais simplement, Votre Altesse, si la princesse Delilah est ici au château, s'informa Pogue Parry.

Celie aurait pu reconnaître sa voix entre mille. Pogue était de loin le jeune homme le plus ravissant de la vallée

Malicieuse, ce qui explique probablement pourquoi il devait autant se bagarrer. Il n'avait qu'à regarder une demoiselle pour que celle-ci se désintéresse sur-le-champ de son petit ami, à la faveur de cet être charmant. Même Celie n'était pas immunisée contre lui, et elle sortit donc la tête de sa cachette pour lui adresser un sourire.

Pogue lui fit un clin d'œil.

— Bien le bonjour, princesse Cecelia. Voudrais-tu m'aider à trouver ta si charmante sœur?

— Non, elle ne veut pas, intervint Rolf d'un ton maussade. Et Lilah est occupée. Suivant!

— J'aurais peut-être un autre sujet à aborder, ajouta nonchalamment Pogue.

— Si ça concerne l'une de mes sœurs, la réponse est non, répliqua Rolf.

Pogue fit un sourire narquois, et Celie poussa un petit soupir. Elle s'extirpa de son abri sous le trône, sa pile de feuilles en main. Elle avait terminé le plan du couloir; il ne lui restait qu'à en faire quelques copies.

— Je vais te conduire à Del-Lilah, lui dit-elle.

Personne, à l'exception de Pogue ou de très vieux courtisans, n'appelait la sœur de Celie par son nom complet. On aurait dit que Pogue savourait son nom. Celie prit mentalement note d'en demander la raison à ses parents. Ils seraient de retour ce soir-là, ou au plus tard le lendemain.

— Tes parents devraient bientôt être de retour, fit remarquer Pogue.

Il fit tressaillir Celie par ses mots qui faisaient écho aux pensées de cette dernière.

— Oui, nous les attendons effectivement d'une minute à l'autre, répondit-elle, tout en le guidant dans un long couloir.

S'ils tournaient à droite et prenaient l'escalier, ils arriveraient près de la petite salle à manger, où Lilah serait en train de superviser l'arrangement de la table pour le repas. Les conseillers aux Finances et aux Travaux publics se joindraient ce soir à eux.

— J'aime tes parents, lança soudainement Pogue.

Elle le dévisagea.

— Tu n'as pas le choix, fit-elle remarquer. Ce sont le roi et la reine.

— En fait, si, *j'ai le choix*, contredit Pogue avec un petit sourire. Je dois seulement les respecter… et encore ! En réalité, il faut seulement obéir à la royauté. Mais je les aime quand même. Si tu as besoin de quoi que ce soit, tu sais où se trouve l'atelier de mon père, n'est-ce pas ?

— Bien sûr. Il est le seul forgeron au village, répondit Celie.

Il y avait quelque chose d'étrange dans cette conversation. Ce n'était pas tant que Pogue n'était pas sincère, bien au contraire. C'était plutôt ça qui était curieux, car Pogue n'était jamais sincère ou, à tout le moins, jamais sérieux. Il passait habituellement son temps à taquiner les autres.

— Brave petite, dit-il en tirant l'une des boucles de Celie.

Ils arrivaient à la petite salle à manger et ils pouvaient voir Lilah, à travers les portes, donner des ordres à un valet qui tenait une chaise.

— Ô belle Delilah ! déclara Pogue en mettant un genou par terre.

Celie en profita pour se retirer, le laissant flirter auprès de Lilah tout en émoi.

Elle emporta son plan dans sa chambre et le recopia cinq fois. Elle se rendit ensuite au salon des bonnes et remit les copies à Madame la gouvernante, comme tous l'appelaient. Celie avait gardé la version originale pour l'ajouter à son propre atlas et, chemin faisant pour retourner à sa chambre, elle se mit à songer au nombre de pages que pourrait contenir l'atlas une fois terminé. Mais comment pourrait-elle le finir ? Le château faisait apparaître de nouvelles pièces chaque semaine, et il lui arrivait occasionnellement d'en supprimer lorsqu'elles ne servaient plus. Il y avait déjà une série de placards sur ses cartes qui n'existaient plus, car les draps que Madame la gouvernante y avait entreposés avaient été rongés par les mites.

— Quelqu'un devrait m'aider, murmura Celie. Mais ça n'intéresse personne. On me répond par des haussements d'épaules ou en me disant que le château ne fait que ce qu'il veut, et… euh.

Le château faisait peut-être effectivement ce qu'il voulait avec les pièces, constata-t-elle finalement. Et il faisait peut-être la même chose avec elle. Elle s'était dirigée vers sa chambre, mais elle se retrouva plutôt au pied de l'escalier qui menait à la tour aux quatre lunettes d'approche. On aurait dit que le château avait réorienté les couloirs pour l'y conduire.

— Bon, très bien, se résigna Celie.

Elle monta jusqu'à la petite pièce. Rien n'avait changé. Celie déposa son calepin et sa trousse à crayons sur la table, puis regarda autour d'elle. Il y avait la corde, le livre et, sur les rebords des fenêtres, les longues-vues. Elle prit un moment pour dessiner la pièce et inscrivit la manière dont elle était parvenue à cet endroit les deux fois. Elle se rendit ensuite à l'une des lunettes d'approche pour observer les alentours. Elle pouvait voir la route principale, ainsi qu'un nuage de poussière indiquant qu'une personne s'approchait du château à toute vitesse.

Elle plissa les yeux et essaya de regarder plus attentivement. Était-ce le carrosse de ses parents? Et si oui, où était la charrette de bagages? Et les soldats à cheval qui les accompagnaient?

Celie remarqua sur la longue-vue un anneau permettant de régler le champ de vision de l'appareil et elle le manipula jusqu'à ce qu'elle puisse clairement voir le véhicule dans le nuage de poussière. C'était bien le carrosse royal, mais sans les bagages ni les soldats, et il allait beaucoup trop vite pour que ses passagers puissent se sentir confortables. Ce n'était pas normal.

Celie rebroussa chemin en courant pour se rendre à la salle du trône, où elle déboucha finalement en glissant avant de s'arrêter brusquement devant les yeux curieux des solliciteurs et le regard amusé de son frère. Il voulait de toute évidence prendre une pause et la regardait avec l'air d'attendre quelque chose, tandis qu'elle replaçait ses jupes et ses cheveux.

— Tu es pressée, Cel?

— Je dois te parler, dit-elle en s'approchant rapidement du trône. En privé. Maintenant.

— Dieu merci! marmonna Rolf. Une pause de cinq minutes, tout le monde, annonça-t-il à voix haute.

Ils s'éclipsèrent par une porte, derrière une tapisserie représentant un serpent de mer, et se retrouvèrent dans le petit bureau où leur père tenait souvent des réunions avec son Conseil. Des rafraîchissements avaient été placés sur la table. Rolf avait commencé à se verser un verre d'eau quand soudain il se figea en voyant l'expression de sa sœur.

— Qu'est-ce qu'il y a ?

— J'ai trouvé une pièce qui contient des longues-vues. Je regardais la route. J'ai pu voir que le carrosse s'en vient, mais il roule terriblement vite, sans les soldats ni les bagages, raconta-t-elle précipitamment.

— Quoi ? Es-tu certaine qu'il s'agit bien *du* carrosse ? Le carrosse de Mère et Père ?

— Oui, répondit-elle.

Sauf qu'elle n'en était plus très certaine. Oui, il s'agissait d'un gros carrosse, mais il y en avait probablement des dizaines de semblables dans le royaume. Elle n'avait pas précisément vu les armoiries royales sur les portières ; il y avait trop de poussière. Et si elle faisait des histoires pour un rien ?

— Tu devrais me montrer, dit Rolf.

Celie appréciait toujours que son frère la traite d'égal à égale. Elle espérait seulement que, cette fois-ci, elle n'abusait pas de sa confiance, tout en le guidant au pied de l'escalier en colimaçon qui menait à la tour des longues-vues, comme elle l'avait surnommée dans sa tête.

— C'est en haut.

Rolf monta les marches deux par deux, même s'il portait ses robes d'État, et il s'installa rapidement à la longue-vue du sud qui donnait sur la route.

— Tu as raison, c'est leur carrosse, approuva Rolf. Il vient de traverser le village, ce qui signifie qu'il devrait arriver d'une minute à l'autre. Descendons l'accueillir.

Ils se retrouvèrent dans la cour en un instant. Rolf envoya un domestique chercher Lilah tandis qu'il faisait les cent pas avec Celie sur le pavé.

Ils n'eurent pas à attendre longtemps. Lilah arriva en même temps que le carrosse, qui entra à toute allure par le portail principal, puis s'arrêta dans une embardée à quelques pas d'eux. Les chevaux écumaient et soufflaient, et le carrosse était crasseux et cabossé.

— Est-ce une flèche ?

La question venait de Pogue. Il était arrivé avec Lilah, bien sûr, et il était le seul à être capable de parler. Car il y avait effectivement une flèche enfoncée dans une portière du carrosse. En fait, le carrosse était recouvert de plusieurs flèches, et, maintenant que les chevaux s'étaient arrêtés, Celie remarqua que l'un d'eux était gris, tandis que les autres étaient les alezans préférés du roi. L'équipage avait donc dû remplacer l'un des chevaux en cours de route.

— Maman ?

Celie fit un pas hésitant vers le carrosse, mais Lilah la retint.

La portière s'ouvrit avec fracas, laissant poindre un homme qui s'écroula à moitié du carrosse. C'était l'un des gardes royaux. Non, c'était leur sergent. Il était couvert de poussière et de sang, et son bras gauche reposait dans une écharpe faite à la hâte avec un foulard de soie. Un des foulards de soie de la reine.

— Votre Altesse, dit-il en apercevant Rolf et en se redressant avec peine. Je veux dire, Votre Majesté.

Il inclina la tête avec raideur.

— J'ai le regret de vous informer que le roi Malicieux, votre père, est mort.

— Et maman?

La voix de Celie était si faible qu'elle se demanda s'il l'avait entendue. Il répondit.

— J'ai le regret de vous annoncer que Sa Majesté est morte elle aussi.

Chapitre 4

— Des bandits, dans le col, expliqua le sergent Avery.

Ils étaient tous entrés maladroitement dans la salle du trône, puis avaient renvoyé les solliciteurs avant de convoquer le Conseil. Avery s'effondra sur une chaise, mais Rolf refusa de s'asseoir sur le trône. Il y avait passé la journée, sans difficulté, mais Celie remarqua qu'il ne pouvait même plus le regarder. Avery essayait sans cesse de se lever, mais il était épuisé et blessé, et ils le forçaient à se rasseoir à chaque tentative de sa part.

— Ils nous attendaient. Dès que nous sommes arrivés au passage le plus étroit, ils nous ont attaqués des deux côtés. Les flèches volaient tel un essaim d'abeilles, et la plupart de mes hommes sont tombés avant même d'avoir pu dégainer leur épée. Les chevaux du carrosse ont failli s'enfuir d'épouvante, mais l'un d'eux a trébuché et s'est cassé une patte, sinon j'aurais eu à marcher jusqu'ici.

— Comment vous êtes-vous enfui? demanda Lilah, d'une voix faible mais calme.

— Ma tête a heurté une pierre lorsque mon cheval est tombé. C'est aussi à ce moment-là que je me suis disloqué l'épaule.

Il prit une grande gorgée de liquide dans la tasse qu'une bonne lui tendait.

— Lorsque je suis revenu à moi, c'était terminé. Il y avait des hommes morts partout, les chevaux s'étaient dispersés, un vrai désastre.

Il avala une autre gorgée, évitant de regarder le trône, ou même Rolf.

— Avez-vous pu voir les corps du roi et de la reine?

La question venait d'un des conseillers.

— Non..., dit lentement Avery. J'ai cru avoir vu la robe verte de la reine dans le désordre causé par la charrette de bagages. Le prince Bran était à cheval, et j'ai vu sa monture, morte, sur la route.

— Mais le roi?

Le conseiller, seigneur Sefton, à peine plus âgé que Bran, se pencha vers lui, soucieux de savoir, et Celie sentit elle aussi une vague d'espoir l'envahir.

— Non, répondit le sergent d'une voix sombre.

Ses yeux se posèrent sur Celie, qui ne détourna pas le regard.

— J'ai bien peur... que je ne l'ai pas vu... mais j'ai trouvé ceci dans la poussière.

Le cœur de Celie se serra.

Le seigneur Sefton se rassit, l'air soudain vieilli en raison du choc et de la tension. Le sergent Avery tenait l'anneau du griffon : le lion d'or ailé dont les yeux représentés par des fragments d'émeraude semblaient cligner dans la lumière de la pièce. Le père de Celie, comme tous les autres rois Malicieux, avait reçu l'anneau du griffon lors de son couronnement. Il se devait de toujours le porter comme symbole de ses devoirs de roi, et Celie n'avait jamais vu son père sans l'anneau. Elle n'était même pas certaine que l'anneau *puisse* être enlevé. Rolf lui avait dit un jour que c'était un anneau enchanté qui ne pourrait être retiré qu'après le décès du roi.

Elle avait alors pensé qu'il se moquait d'elle.

Le sergent Avery tendait l'anneau à Rolf, mais ce dernier refusait de le prendre. Finalement, le seigneur Feen, un conseiller âgé, tendit une main tremblante, et le sergent y déposa le lourd anneau. Un frisson parcourut Celie.

— Nous enverrons tout de même une équipe de recherche, annonça vivement l'émissaire des territoires étrangers. Il faut vérifier s'il reste des survivants, ou n'importe quoi d'autre à récupérer.

— Bien sûr, mon seigneur, dit le sergent Avery en se redressant. Je dirigerai moi-même l'équipe.

Il regarda Rolf à l'instant même et entreprit de se lever, mais ce dernier lui fit signe de se rasseoir.

— Merci, sergent. Mais nous allons d'abord demander à un médecin d'examiner vos plaies.

Il envoya l'un des valets chercher le médecin du château et ordonna à l'un des gardes de rassembler une équipe de recherche, armée.

— Voilà une noble idée, Seigneur émissaire, lança le seigneur Feen de sa voix chevrotante. S'il est vrai qu'ils sont morts, il serait bien que cette équipe puisse rapporter les corps du regretté roi Malicieux LXXIX et de sa reine.

Lilah émit un genre de léger miaulement en entendant le mot «corps», et Celie s'agrippa à sa taille. Elle croyait vivre un cauchemar, et elle souhaitait désespérément se réveiller. Pogue Parry, qui se tenait derrière elles, fit un pas vers l'avant, mit une main sur l'épaule de Lilah et l'autre sur l'épaule de Celie. Ses mains étaient grandes et très chaudes. Celie était contente finalement qu'il soit venu faire du charme à sa sœur ce jour-là.

— Et, bien sûr, continua le seigneur Feen, s'il s'avère que le roi et la reine sont morts, il faudra appliquer les procédures. Le château Malicieux ne peut pas tenir très longtemps sans roi. Des plans pour votre couronnement...

— Non, le coupa Rolf. Nous devons d'abord être certains que mes parents... ne sont plus en vie.

Lilah émit un autre miaulement.

Celie sentit ses larmes lui couler sur le visage et tomber sur sa robe. Comment Rolf pouvait-il laisser entendre que leurs parents étaient morts? *Comment pouvait-il faire* une telle supposition?

Elle poussa un sanglot malgré elle, et la main de Pogue se resserra sur son épaule. Lilah étreignit sa sœur, puis se pencha pour s'appuyer la joue contre les cheveux de Celie. Les larmes de Lilah tombaient sur la joue de Celie, mais celle-ci ne les essuya pas.

— Je ferai de mon mieux pour les retrouver, Votre Maj... Votre Altesse, promit le sergent Avery.

Il se leva, et cette fois-ci personne ne l'en empêcha.

— Merci, sergent, le remercia Rolf. Je suis ravi de pouvoir compter sur vous.

Le médecin était arrivé, et le sergent Avery repartit avec lui afin de se faire examiner en privé. Le reste des conseillers se rassemblèrent et se mirent à chuchoter en lançant des coups d'œil à Celie, à son frère et à sa sœur. Rolf se plaça devant le trône et s'éclaircit la gorge. Ils se turent tous.

— La personne qui a commis cet acte doit être traduite en justice, déclara Rolf d'une voix sombre. Dès que possible, j'enverrai un contingent de soldats avec le sergent Avery pour chercher mon père et ma mère, mais aussi pour traquer…

— Votre Altesse, s'il vous plaît, l'interrompit l'émissaire, ne gâchons pas cette triste situation en parlant de vengeance. Cela ne ferait qu'amplifier la tragédie.

Rolf le dévisagea d'un air incrédule.

— Ne croyez-vous pas que l'attaque contre *votre roi* mérite des représailles?

L'émissaire secoua la tête, soupirant légèrement comme si Rolf le décevait.

— Jusqu'à ce que nous puissions nous assurer du sort du roi et de la reine, et jusqu'à ce que ceux qui ont péri dans cette attaque aient été enterrés comme il se doit, il n'y a rien de plus à faire, annonça-t-il. Pour l'instant, vous pouvez tous vous retirer.

Rolf le regarda durant un moment, sous le choc, puis il descendit de l'estrade, fit un signe de tête courtois à Pogue, qui s'inclina et recula. Rolf enlaça ses sœurs, et tous les autres quittèrent la pièce, laissant les trois enfants à leur chagrin.

Chapitre 5

Les Sleynois étaient en deuil, le château Malicieux aussi. Il ne faisait plus apparaître de nouvelles pièces, n'allongeait plus les couloirs, et, lorsqu'on enleva les drapeaux, il ne les remplaça pas. Les courtisans et les roturiers, portant un brassard noir, défilèrent au château pour faire la révérence devant Celie, Rolf et Lilah, et pour leur offrir leurs condoléances. Les enfants refusèrent toutefois de les accepter. Ils ne se sentaient pas encore prêts à le faire.

Celie n'avait pas de robe foncée, ce qui la tracassait, car elle s'inquiétait que les gens puissent penser qu'elle n'affichait pas les marques de respect voulues dans les circonstances. Ses parents et son frère avaient disparu, des personnes étaient mortes, et elle était vêtue de gris pâle! Elle se sentait ridicule de se préoccuper d'un tel détail, mais, en même temps, elle n'avait rien d'autre à faire.

Le matin suivant l'annonce de la terrible nouvelle, Lilah avait aidé Celie à mettre sa robe grise, qui avait été confectionnée pour une cérémonie de commémoration de guerre quelques mois auparavant, puis Celie avait enroulé autour de sa taille une bande de soie noire en guise de ceinture. Les couturières s'étaient cependant rapidement mises à l'œuvre pour lui coudre une robe noire plus appropriée, ainsi qu'une autre pour Lilah, même si celle-ci paraissait déjà élégante dans la robe de satin noir qu'elle avait portée aux funérailles de sa grand-tante l'année précédente. Celie grandissait tellement vite qu'elle n'arrivait plus à attacher sa robe de funérailles. Même sa robe grise était devenue trop courte de quelques centimètres et elle lui irritait les aisselles.

Cependant, lorsque Celie se rendit à la salle du trône deux jours après avoir appris la mauvaise nouvelle, elle trouva d'autres sujets de préoccupation que ses vête-ments. Rolf était assis sur un petit tabouret qui avait été placé à côté du trône. Il portait une tunique noire de son père, qui était de la bonne longueur dans son ensemble, de la bonne largeur aux épaules, mais beaucoup trop ample au milieu. Il avait le visage blême et des cernes foncés sous les yeux.

Les conseillers étaient tous rassemblés et chucho-taient entre eux en jetant des coups d'œil à Rolf. Deux messagers de pays voisins se tenaient debout patiemment devant l'estrade. Celie comprenait que la situation était plus inquiétante que sa robe trop courte ou que la tunique trop ample de Rolf empruntée dans la garde-robe de son père. Sachant que, si quelqu'un l'apercevait, elle serait probablement invitée à quitter les lieux, elle longea furtivement le mur jusqu'à l'endroit où se tenaient Lilah et Pogue Parry.

Depuis que les parents avaient été attaqués, Pogue Parry était devenu l'allié le plus sûr de la famille royale. Il s'était présenté au portail du château les deux derniers matins, vêtu convenablement et sobrement d'une tunique gris foncé, portant un brassard noir. Il s'était montré calme et respectueux envers Rolf et Lilah, et il avait été gentil et amical avec Celie. Il avait cessé de jouer au charmeur auprès de Lilah (et des bonnes, et des filles du village). Il s'était plutôt employé à faire des commissions pour Lilah, il l'avait aidée à confectionner des brassards de deuil pour les domestiques, il avait organisé une vigile de villageois. Il était rapidement devenu indispensable.

— Que se passe-t-il ?

Celie prit la main de Lilah et la serra.

— Tu ne comprendrais pas, chuchota Lilah. Va aux cuisines te chercher à manger.

Celie lâcha la main de sa sœur et se glissa derrière elle à côté de Pogue.

— Que se passe-t-il ?

— L'ambassadeur de Vhervhine est ici, chuchota Pogue.

Il pointa alors du menton un grand homme, portant de grandes bottes de couleur prune, qui se tenait devant le trône.

— Il apporte d'intéressantes nouvelles, continua-t-il.

Le pouls de Celie s'accéléra.

— Quoi ? Est-ce qu'ils ont des nouvelles de mes parents ?

Pogue lui prit gentiment la main.

— Non, je suis désolé, murmura-t-il en se penchant pour pouvoir lui parler doucement. Vhervhine souhaite envoyer un émissaire aux... funérailles... la semaine prochaine.

— Mais c'est bien, non ?

Elle se raidit un peu avant de poursuivre, essayant d'avoir un peu plus l'air d'une princesse.

— Ne devraient-ils pas envoyer un émissaire ? Même s'il n'y a pas vraiment de funérailles.

Celie s'accrochait à l'espoir que le sergent Avery revienne accompagné de ses parents et que les préparatifs des funérailles servent plutôt à une célébration grandiose.

— Ils prévoient envoyer l'un des princes royaux, dit Pogue. Le prince Khelsh. Ce qui signifie qu'il viendra avec des dizaines de gardes armés, sans compter les serviteurs, les conseillers ainsi qu'un ministre.

— Le prince Khelsh, n'est-ce pas celui qui est méchant ?

Celie fronça le nez, essayant de se souvenir. Le peuple vhervhinois était de nature plutôt belliqueuse, mais le second fils, qu'elle croyait bien être Khelsh, passait pour un véritable monstre.

— C'est bien lui, confirma Pogue à voix basse.

L'ambassadeur vhervhinois les regardait avec mépris. Comme le voulait la coutume dans son pays, sa tunique était boutonnée jusqu'en haut du cou, du côté gauche de la poitrine, ce qui, avait toujours pensé Celie, devait être très inconfortable. D'après l'expression revêche de son visage, soit que l'ambassadeur était inconfortable, soit qu'il ne voulait tout simplement pas se trouver en cet endroit.

— Beurk, murmura Celie.

En guise de réponse, Pogue lui serra légèrement la main.

— Et mon prince viendra aussi avec de nombreux beaux cadeaux et de nombreux bons serviteurs, ajouta un autre homme.

Il accompagnait ses paroles de grands gestes, qui faisaient battre les amples manches de sa tunique de soie, et il regardait le trône et les murs plutôt que Rolf.

— C'est vraiment mais vraiment quelqu'un de bien, notre prince Lulath bien-aimé.

Il le dit en s'adressant à l'un des piliers sculptés qui supportaient le plafond en forme de voûte de la salle du trône.

— Lulath ?

Celie essaya de se rappeler à quel endroit elle avait entendu ce nom auparavant. Ou de reconnaître l'accent de la personne qui parlait.

— C'est l'ambassadeur de Grath, murmura Pogue. Je crois qu'il a dit que Lulath est le troisième fils.

Celie échappa un petit rire. Lulath de Grath ?

Rolf, ainsi que l'ambassadeur, lui décochèrent un regard sévère.

Rolf se détendit soudain et fit signe à Celie.

— Ma sœur, voudrais-tu t'approcher ?

— Oui… mon frère, acquiesça-t-elle.

Elle sentit ses joues s'enflammer et elle s'avança plutôt lentement tout près de Rolf.

— Ma jeune sœur, princesse Cecelia, dit Rolf, la présentant aux deux ambassadeurs. Cecelia chérie, voici l'ambassadeur de nos chers voisins de Vhervhine, et voici l'ambassadeur de nos tout aussi chers voisins de Grath.

Celie hocha poliment la tête en direction des deux hommes, qui s'inclinèrent devant elle. L'ambassadeur vhervhinois le fit plutôt pour la forme, mais celui de Grath s'exécuta avec force gestes et regards de côté, comme pour vérifier qui le regardait.

— De nous tous, c'est la princesse Cecelia qui connaît le mieux le château, mentionna Rolf aux ambassadeurs, avant de se tourner vers Celie. Je veux m'assurer que nos deux visiteurs princiers et leurs suites obtiendront toute l'attention nécessaire durant leur séjour, Cecelia. Aurais-tu l'amabilité de bien vouloir demander au château de leur fournir des appartements qui conviennent à leur statut et à leurs besoins ?

Celie regarda son frère durant une ou deux minutes en roulant de gros yeux ronds. Elle ne pouvait pas plus demander au château de fournir des appartements aux princes qu'elle ne pouvait se tenir sur la tête au sommet de la tour des longues-vues ! Peu importe à quel point il vous aimait ou la manière dont la demande était formulée, le château était plutôt porté à faire le contraire de ce qu'on lui demandait, si jamais il décidait de faire quoi que ce soit.

Elle allait le rappeler à Rolf, quand elle fut tout à coup distraite par l'attitude des ambassadeurs. Ils s'étaient tous les deux penchés vers l'avant, impatients d'entendre ce qu'elle allait répondre. L'ambassadeur vhervhinois affichait un léger rictus, et un regard spéculatif se dégageait des yeux plissés de son homologue grathien.

— Bien sûr, cher frère, acquiesça gentiment Celie. Avec plaisir.

— Merci, ma chère Cecelia, répondit Rolf, d'un air soudainement narquois. Ils seront tous deux accompagnés de 25 hommes, ce qui *inclut* les soldats, les conseillers et les serviteurs.

Cette dernière phrase, comprit-elle, avait été strictement prononcée à l'intention des ambassadeurs. Celie vit Pogue, en retrait, froncer les sourcils, et elle entendit l'ambassadeur vhervhinois prendre une inspiration pour se préparer à argumenter.

— Tant que ça ? s'informa Lilah.

Celie savait que sa sœur essayait de jouer le jeu.

— J'espère que le château sera capable de leur trouver de la place. Nous attendons déjà beaucoup de parents et d'autres invités royaux.

Ce n'était certainement pas un mensonge, pensa Celie. Ils avaient effectivement beaucoup de cousins, et il était certain que d'autres pays enverraient des délégations qui avaient hâte de connaître les résultats de la mission du sergent Avery.

— S'il te plaît, demande au château de faire tout son possible, la pria Rolf.

— Dans ce cas, je devrais m'y mettre tout de suite, répondit Celie, feignant un air sérieux.

Elle fit la révérence aux ambassadeurs, puis à Rolf, et ils lui rendirent tous la pareille.

— Je ferais mieux de l'aider, poursuivit Lilah, qui s'inclina à son tour devant eux.

Pogue et elle suivirent Celie à l'extérieur de la salle du trône.

Celie attendit qu'ils se soient éloignés dans le couloir avant de demander ce qui s'était passé. Elle avait le pressentiment que quelque chose ne tournait pas rond à propos des ambassadeurs, mais elle ne savait pas trop de quoi il s'agissait précisément.

— Ils essaient de s'emparer du château, siffla Lilah. Mais attendons d'être dans ma chambre pour les explications.

— Est-ce que ta chambre est là-haut ?

Pogue regardait d'un air douteux l'escalier en colimaçon devant lequel ils étaient déjà passés deux fois.

— Je crois que nous sommes déjà passés devant cet escalier, mais il était là-bas.

Pogue avait déjà été témoin plusieurs fois des petites manies du château et des changements qui s'y produisaient, mais il n'était pas aussi expérimenté que la famille royale pour pouvoir s'y retrouver.

— Ma chambre devrait être juste ici, commenta Lilah en fronçant les sourcils.

— Cette pièce apparaît sans cesse devant moi, dit Celie, pointant la tour des longues-vues en haut de l'escalier. Je commence à me demander s'il n'y a pas quelque chose d'important à cet endroit.

Lilah regarda Celie un moment.

— Tu crois ?

Elle était très sérieuse : tout le monde savait que Celie était de loin la meilleure dans l'interprétation des changements apportés par le château.

— Elle ne semble pas être réellement utile présentement, lui répondit Celie. Mais le château m'y envoie au moins une fois par jour.

— Nous devrions y jeter un coup d'œil, rétorqua Lilah.

Les trois gravirent les marches, puis Celie montra à Lilah et à Pogue les longues-vues, le livre et les biscuits secs. Pogue se sentit beaucoup attiré par les lunettes d'approche, mais Lilah se mit à feuilleter le livre et elle ne put s'empêcher de frémir.

— J'espère que cela ne nous servira jamais, dit-elle. Je n'ai jamais été très portée sur l'apprentissage des langues. Te rends-tu compte qu'il s'agit d'un manuel de conversation vhervhinois ? C'est inquiétant.

— Que se passe-t-il avec les ambassadeurs ? la questionna Celie.

Lilah et Pogue se regardèrent, et Celie se croisa résolument les bras. Ils avaient un de ces regards d'adultes montrant bien qu'ils allaient essayer d'adoucir ce qu'ils avaient à lui annoncer.

— Tu vois, ma chérie, commença Lilah.

Pogue lui donna une petite tape sur le bras et secoua la tête.

— Celie, reprit-il, pendant que Lilah lui lançait un autre de ces regards. Rolf est très jeune. Trop jeune, croient certaines personnes, pour devenir roi. Sans compter qu'il ne veut pas être roi, du moins pas pour le moment.

— Je le sais déjà, dit Celie sans être impolie.

Elle était reconnaissante que Pogue, lui au moins, la traite comme une personne assez mûre pour comprendre la situation.

— De toute manière, nous devons d'abord trouver mam… Mère et Père.

— C'est vrai, acquiesça Pogue. Mais cela signifie que le Sleyne n'a pas de roi pour l'instant, continua-t-il. Votre père est… porté disparu.

Il s'arrêta et s'éclaircit la gorge.

— Et Rolf ne peut être couronné tant que nous ne saurons pas ce qui est arrivé à vos parents. Alors les royaumes voisins de Sleyne suivent la situation très attentivement ; ils pensent que nous sommes peut-être affaiblis. Parce que, si nous le sommes, ce serait le bon moment pour eux de… prendre le pouvoir.

Celie fixa Pogue du regard, puis Lilah, qui fit doucement oui de la tête.

— Donc l'ambassadeur de Vhervhine est ici pour nous *envahir* ? Mais il est seul !

— Il n'a pas encore commencé l'invasion, précisa Lilah. Pour l'instant, il ne fait qu'espionner.

Elle plissa le nez de dégoût et poursuivit son explication.

— Il vérifie si Rolf est assez intelligent et assez raisonnable pour être un bon roi. Et je suis certaine qu'il prépare la venue de son prince, avec une multitude de soldats comme « garde d'honneur », afin de pouvoir attaquer lorsque nous serons au plus bas.

— Et les Grathiens ? s'enquit Celie.

— C'est la même chose, confirma Lilah. Toutefois, je crois qu'ils en savent davantage à propos du château.

Leur ambassadeur porte beaucoup d'attention au château lui-même. Il regarde partout autour lorsqu'il parle, comme s'il s'adressait aux murs et non à Rolf. Il doit savoir que le château choisit lui-même ses rois, et il essaie de l'impressionner.

— Mais le château n'a-t-il pas déjà choisi Rolf ? protesta Celie.

— Nous, nous le savons, mais eux non, rétorqua gravement Lilah. Ou ils ne le croient pas vraiment, ou ils souhaitent que le château change d'avis. Les Vhervhinois essaieront probablement de le prendre par la force, si jamais ils essaient, et les Grathiens, par la ruse.

Celie secoua la tête.

— Ça ne fonctionnera pas, dit-elle. Le château Malicieux réussit à se débarrasser des *femmes de chambre* qu'il n'aime pas. Il ne va pas rester impassible et laisser un nouveau roi prendre le pouvoir.

— Il n'y a pas beaucoup de gens à l'extérieur de ces murs qui croient aux interventions magiques du château, nuança Pogue. Moi-même, je ne le croirais pas si je n'étais pas toujours ici. Je l'ai vu allonger les couloirs, et j'ai vu de nouvelles pièces le jour où elles sont apparues. Mais la majorité des gens, même au village, croient que ce ne sont que des absurdités.

Celie mit les mains sur ses hanches.

— Eh bien, ils ne tarderont pas à savoir de quoi il en retourne !

Chapitre 6

Dans les jours suivants, le château ne fit rien qui témoignât de son humeur. Lorsque Celie se réveilla le lendemain matin, il y avait exactement le bon nombre de chambres d'amis, de casernes et d'écuries pour loger précisément le nombre d'invités attendu ainsi que leurs chevaux. Personne n'avait été témoin du changement, et les pièces étaient si parfaitement normales, les écuries et les casernes si parfaitement sobres qu'elles semblaient même avoir déjà été utilisées. Celie avait de la difficulté à croire qu'elles n'avaient pas toujours été là.

Son grand frère Bran avait déjà avancé comme théorie que les pièces étaient présentes en permanence, mais qu'on ne pouvait simplement pas les voir. Il supposait aussi qu'elles étaient peut-être entreposées dans une espèce de poche magique, mais Celie n'avait jamais tout à fait compris cette dernière explication. En effet, les

« nouvelles » pièces que le château faisait apparaître ne semblaient jamais si nouvelles ; elles avaient plutôt l'air de la même époque que les autres pièces, bien qu'un peu laissées à l'abandon. Lorsque les couloirs s'allongeaient, les dalles étaient toujours usées au centre, les murs étaient parfois ébréchés ou portaient des marques ; même les tapisseries semblaient faire partie de la même série que les autres.

— Il s'agit probablement d'une vaste structure, qui couvre peut-être même toute la vallée, disait Bran en faisant de grands mouvements avec ses bras. Mais une seule partie s'avère visible. Soit que le château range quelque part les pièces inutilisées et les portions de couloirs non empruntées, jusqu'à ce qu'il en ait besoin, soit qu'il les cache dans une autre dimension.

C'était l'une des raisons pour lesquelles Bran était allé au Collège de sorcellerie. Il disait toujours de telles choses.

Du moins, jusqu'à tout récemment.

Celie soupira profondément en se rendant aux cuisines. À cause de sa nouvelle robe, elle devait prendre le couloir habituel plutôt que de sauter par une fenêtre, et elle devait éviter de se salir, car Lilah l'avait menacée, si cela se produisait, de lui faire boucher la cheminée de ses deux mains.

Comme si aujourd'hui elle allait sortir par une fenêtre, visiter les étables ou explorer un grenier poussiéreux !

C'était le jour du service commémoratif de leurs parents et de Bran, et tous étaient d'humeur sombre dans l'attente du début de la cérémonie. Celie n'avait aucunement envie de faire quoi que ce soit de salissant, et Lilah le savait bien, mais, bouleversée par la situation, celle-ci n'avait pu s'empêcher de faire cette menace à sa sœur. Et comme Celie était elle-même remuée, et parce qu'elle savait que Lilah n'avait pas fait cela pour être méchante, elle n'avait pas protesté et ne s'était pas plainte.

Le sergent Avery était revenu de sa mission de recherche deux jours auparavant, le visage assombri. Il avait trouvé des lambeaux de la robe de voyage de la reine Celina et son anneau de mariage serti de rubis dans des buissons au bord de la route. Il n'avait pas voulu en dire davantage devant Celie, mais Rolf avait insisté d'un ton bourru pour qu'il continue. En remettant l'anneau de la reine à Lilah, le soldat avait raconté qu'il avait noté d'autres signes d'échauffourée et des taches de sang sur la terre compacte sur le côté de la route. Des corps avaient été retrouvés, mais il ne pouvait pas dire de qui il s'agissait, bien qu'il fût convaincu malgré lui qu'il s'agissait du roi Malicieux et de Bran.

Celie ne se souvenait de rien d'autre. Elle s'était réveillée dans son lit ce matin avec un mal de tête sourd, avait aperçu Lilah en pleine agitation, et appris que le service commémoratif à l'intention des personnes décédées dans l'embuscade s'était transformé en funérailles d'État pour le roi Malicieux LXXIX, la reine Celina et le prince Bran.

Leur famille.

Lilah semblait s'attendre à ce que Celie fasse des histoires, mais celle-ci avait plutôt enfilé silencieusement sa nouvelle robe noire, qui lui semblait très raide et qui, en raison de la ceinture royale violette, lui donnait l'air d'une grande personne. Elle exécuta, aussi rapidement qu'elle le put, sans courir, toutes les tâches demandées par Lilah.

Elle s'assura, auprès de la gouvernante, qu'il y avait toute la literie nécessaire dans les nouvelles pièces, des cuvettes et des pots de chambres, ainsi que tous les articles dont les invités auraient besoin. Elle envoya un valet aux écuries et aux casernes, et elle fit son rapport à Lilah. Celie se dirigeait maintenant vers les cuisines afin de s'assurer que la cuisinière avait tout ce dont elle avait besoin pour le festin du soir.

Dans le pays de Sleyne, les funérailles avaient toujours lieu au crépuscule, suivies d'un festin qui se poursuivait parfois jusqu'à l'aube. De nombreux invités n'étaient pas encore arrivés pour l'instant. Il était seulement midi après tout, et il restait encore amplement de temps avant la cérémonie pour que les divers princes et leurs suites puissent arriver, s'installer et se changer sans problème.

— Bon après-midi, princesse Cecelia.

C'est ce que lui dit une jeune aide-cuisinière très réservée lorsque Celie entra dans l'énorme cuisine.

Le reste du personnel fit écho à cette salutation, puis une onde de silence précéda la princesse lorsqu'elle traversa la pièce pour aller trouver la cuisinière, qui surveillait la cuisson d'un porc dans la plus grande cheminée. Cette dame maternelle, presque aussi large que grande, lui fit un signe de tête tout en versant une louche de sauce sur la viande qui grésillait. La sauce sentait l'orange, et Celie ne put s'empêcher de montrer qu'elle en avait l'eau à la bouche, même si elle s'était promis de respecter le décorum. Elle avait prévu déjeuner dans la cuisine après avoir parlé à la cuisinière mais, si elle était pour se faire dévisager ainsi, elle devrait peut-être emporter son plateau ailleurs.

Le porc bien arrosé, la cuisinière rappela au garçon tournebroche de continuer à tourner la manivelle lentement, de manière constante, puis elle se tourna vers Celie.

— Princesse, dit-elle.

— Madame la cuisinière, répondit Celie.

Elles se sourirent timidement.

— Un message?

— En effet.

Celie sortit une note de sa manche, pas le moins du monde décontenancée par les mots courts et saccadés de la cuisinière. Elle parlait toujours ainsi, et ce n'était pas un signe de mauvaise humeur ou d'impatience. Rolf avait déjà laissé entendre qu'elle devait avoir la tête si remplie de recettes et de temps de cuisson, et qu'elle devait être si occupée à se rappeler à quel moment les pommes de terre avaient été mises à bouillir, qu'il n'y avait plus de place pour les discours élaborés. Celie ne s'en souciait guère : il n'y avait pas de meilleure cuisinière dans tout Sleyne, peut-être même dans le monde entier.

Celie consulta sa liste de questions.

— Avez-vous tout ce dont vous avez besoin pour le festin?

— Oui.

— Savez-vous combien de convives sont attendus?

— Oui.

— Nous prévoyons qu'une centaine d'invités resteront avec nous toute la semaine après le… service.

— D'accord.

— Le prince Lulath de Grath ne mange pas de viande, continua Celie. Avons-nous d'autres types de repas à lui offrir ?

— Bien sûr.

— De plus, les chiens du prince Lulath mangent leur viande légèrement grill…

— Non.

— Pardon ?

— Je ne m'occupe pas des chiens, précisa la cuisinière, d'une voix enflammée que Celie ne lui connaissait pas. Je cuisine pour les personnes, pas pour les animaux. Adressez-vous au maître du chenil.

— Mais ce ne sont pas des chiens de chasse, protesta Celie. Son Altesse a trois petits…

— Princesse, l'interrompit la cuisinière, tenez-vous droite !

Celie se redressa.

— Parce qu'elle est triste, la princesse Delilah vous envoie poser des questions auxquelles nous connaissons toutes les réponses, mais ça suffit. Lorsque le prince Lulath arrivera avec sa meute de chiens de salon, l'un d'entre vous devra le regarder droit dans les yeux et lui dire de les envoyer au chenil.

— Mais il…, protesta Celie.

— Souiller le château Malicieux de poils, de saleté et de boue… à cause de petites bêtes jappeuses ! Et durant une période de deuil en plus !

Celie aimait beaucoup les petits chiens, en fait tous les types de chiens, mais elle devait admettre que les demandes du prince étaient un peu exagérées, surtout qu'il s'était lui-même invité à la cérémonie. Rolf et Lilah étaient toujours préoccupés par la possibilité que les Grathiens veuillent envahir le château, et la liste des « besoins nécessaires », qui avait été envoyée en prévision de l'arrivée du prince et de sa suite, semblait confirmer leurs craintes. Il exigeait que ses hommes et lui soient logés dans les meilleurs quartiers pour une période indéterminée. Il avait demandé qu'on lui prévoie des aliments spéciaux, tant pour lui que pour ses serviteurs et ses chiens, qu'on mette un tailleur à sa disposition au cas où il aurait besoin de faire apporter des retouches à ses vêtements ou d'en commander de nouveaux, un charpentier au cas où ses pièces ne seraient pas à son goût, et un bureau assez grand pour qu'il puisse y tenir des réunions avec son ambassadeur et d'autres confidents aussi souvent que nécessaire.

— Princesse Cecelia ?

Celie plia sa feuille de papier et la remit dans sa manche.

— Je le ferai, annonça-t-elle à la cuisinière. Et je ferai savoir à Lilah que vous avez tout prévu et que tout est prêt à la cuisine, comme je m'y attendais.

— Merci, princesse, dit la cuisinière.

L'imposante femme se tourna vers l'une des filles de cuisine.

— Déjeuner, sur un plateau, aboya-t-elle. Pour le prince Rolf et la princesse Delilah aussi.

— Oh, et Pogue, ajouta Celie. Pogue aide Rolf.

La cuisinière haussa un sourcil, mais dit simplement « bien sûr ».

— Je vais apporter le plateau au prince Rolf et à maître Parry, offrit l'une des filles.

Elle gloussa et échangea un regard avec une amie.

— Toi, dit la cuisinière, en pointant une autre fille qui versait doucement de la soupe dans quatre bols, apporte le plateau au prince Rolf et à maître Parry. Toi, continua-t-elle en pointant la fille qui riait, aux princesses Cecelia et Delilah. Maintenant.

Chapitre 7

Les filles de cuisine derrière elle, l'une affichant un air arrogant, l'autre, un air furieux, Celie parcourut le château en sens inverse jusqu'à la petite salle à manger familiale, où Rolf et Lilah avaient pris coutume de se barricader lorsqu'ils avaient besoin de discuter. Lilah était déjà sur place, penchée sur une tablette de cire, occupée à préparer le plan de table avec Madame la gouvernante, en vue du festin.

— Lilah, nous avons apporté le repas, annonça Celie. Et tout va bien dans la cuisine. La cuisinière est parée à toute éventualité.

Celie s'assit et fit un signe de tête à la bonne pour qu'elle dépose le plateau. Celie avait d'abord cru qu'elle serait trop nerveuse ou bouleversée pour manger en cette journée, et ce, avant même d'apprendre que la cérémonie de commémoration se transformerait en funérailles pour ses parents. Au petit déjeuner, l'odeur des œufs et des saucisses lui avait mis l'estomac à l'envers, et elle s'était précipitée hors de la pièce. Mais, cette fois-ci, elle avait pratiquement arraché son plateau des mains de la bonne sans attendre que Lilah jette un coup d'œil à son repas.

— Je vais manger dans un moment, dit Lilah distraitement.

— Vous feriez mieux de manger maintenant, conseilla la gouvernante en ramassant la tablette de cire. Le plan me semble bien, Votre Altesse. Je vais le réviser une dernière fois et le montrer à maître Denning.

Maître Denning était le majordome du château.

— Nous ferons tous les changements que nous jugerons nécessaires, mais je doute qu'il y en ait un seul à apporter.

— Vous êtes certaine ?

— Bien certaine, Votre Altesse, répondit gentiment la gouvernante.

Elle sortit, poussant les filles de cuisine devant elle, et Lilah s'assit en soupirant.

Cette dernière souleva le couvercle de son plat, fronça le nez et le replaça. Celie souleva les sourcils : son déjeuner consistait en une excellente soupe au fromage et chou-fleur, accompagnée de sandwiches aux tomates et bacon pour les y tremper, et de grappes de raisins énormes. Lilah adorait la soupe au fromage et au chou-fleur ainsi que les raisins.

— Tu dois manger, dit sévèrement Celie.

Elle prit une grosse bouchée de son propre sandwich pour encourager sa sœur.

— Oui, c'est vrai, acquiesça Pogue en entrant dans la pièce avec Rolf.

Ils s'assirent, soulevèrent leurs couvercles et commencèrent à manger sans plus de cérémonie. Pogue semblait avoir le pouvoir magique de gober la moitié d'un sandwich en une seule bouchée sans avoir l'air goinfre et sans échapper de miettes ; il réussit même à faire un clin d'œil à Celie dans le même temps. Rolf découpa son sandwich en quatre morceaux, et il trempa chacun d'eux dans la soupe avant de se l'enfoncer dans la bouche comme s'il crevait de faim.

— Nous sommes debout depuis l'aube, expliqua Rolf l'air désolé, après avoir fini son sandwich et ramassé sa cuillère.

— Eh bien, moi aussi ! rétorqua Lilah d'une voix perçante. J'ai dirigé le château entier, tu sauras ! Préparé la cérémonie, me suis assurée que tous les invités auraient un endroit où dormir, assez de nourriture à manger, et tout le reste, sans personne pour m'aider !

Celie songea à faire remarquer qu'elle avait participé, que c'était elle en réalité qui était allée s'informer aux cuisines à propos de la nourriture, mais elle décida que ça ne valait pas une dispute.

— Et Celie ?

Pogue sourit à Celie.

— Je suis certain qu'elle aide.

Celie rayonna de plaisir et lui sourit, mais la sombre expression de Lilah eut pour effet d'éteindre sa joie.

— Alors, il n'y a que nous deux ? On s'attend à ce que Celie et moi fassions tout ?

Lilah était presque en larmes.

— Lilah! s'exclama Rolf en déposant sa cuillère. Arrête tout de suite! Tu sais que Pogue et moi avons été occupés. Il a parlé des gardes au capitaine, poursuivit-il en regardant en direction de Celie, au cas où il y aurait des événements désagréables.

— Tu veux dire, au cas où les Grathiens essaieraient de nous envahir? dit Celie.

Elle haussa alors les sourcils et essaya d'avoir l'air plus adulte.

— Euh, oui, admit Rolf. Et Pogue a dirigé le déménagement des gardes du château, de la grande caserne aux autres quartiers, pour faire de la place aux soldats des invités. De plus, il a aussi surveillé les routes pour s'assurer de reconnaître les arrivants.

— Et, toi, qu'as-tu fait?

Lilah n'avait pas du tout l'air calmée.

— J'ai essayé de faire en sorte que notre famille reste en possession du château, répondit Rolf doucement. Dans la mesure où quelqu'un puisse être en possession du château Malicieux.

Celie arrêta de manger. Ils dévisagèrent tous Rolf, sauf Pogue, qui semblait mal à l'aise. Il déposa aussi sa cuillère tandis que Lilah repoussait son assiette.

— Oh Rolf… le penses-tu vraiment? Mais ta chambre est encore près de la salle du trône! N'est-ce pas? balbutia Lilah. Le château ne veut-il pas toujours que tu sois roi?

— Je suppose que oui. Ma chambre est là où elle a toujours été, confirma Rolf. Mais ça ne veut rien dire pour les Vhervhinois, ni pour les Grathiens. C'est à peine si même le Conseil de Père le reconnaît.

— Le Conseil?

Lilah plissa le front.

— Mais ses membres te soutiennent… ils n'ont pas le choix, d'ailleurs, car ils finiront enfermés dans leur chambre ou se feront recracher par une cheminée, et ils le savent !

— Lilah, dit doucement Pogue. La chambre de Rolf n'a pas changé. Du tout.

— Je le sais, Pogue, répondit sèchement Lilah. Rolf vient de dire que… oh !

— Quoi ? Qu'est-ce qu'il y a ? demanda Celie en regardant nerveusement autour d'elle.

— Ma chambre n'a pas changé, Cel, répéta Rolf. Elle n'est pas plus grande. Il n'y a pas de sceau royal sur les murs, contrairement à la chambre de Père et Mère. Il n'y a pas de socle rembourré pour accueillir la couronne ni de place dans le placard pour ranger des robes d'État. Je ne suis encore que le prince héritier.

Lilah regarda Rolf et parla lentement, comme si elle n'était pas certaine de ce qu'elle allait dire.

— Tu es encore le prince héritier. Ce qui signifie que le château n'a pas choisi quelqu'un d'autre pour devenir roi, n'est-ce pas ?

Un élan d'espoir traversa l'esprit de Celie, qui se sentit soudain l'âme légère. Elle sautilla d'émotion sur place.

— Je sais ce que ça veut dire ! Je sais ce que ça veut dire !

— Qu'est-ce que ça veut dire, Celie ?

Rolf se tourna vers elle, l'air soulagé qu'elle ait peut-être une réponse, puisque lui ne semblait pas en avoir.

— Ça veut dire que Père n'est pas mort ! lâcha Celie.

— Quoi ? Non, Celie !

Lilah s'étira pour lui prendre doucement la main de l'autre côté de la table.

— Ma chérie, tu as entendu ce qu'Avery a dit, et ce que l'équipe de recherche a trouvé.

— Mais si Père était mort, Rolf serait le nouveau roi, protesta Celie. Et puisque Rolf est toujours le prince héritier, c'est que Père doit être encore en vie!

— Et si le château *avait* vraiment choisi quelqu'un d'autre? demanda soudainement Pogue. Il y a toujours cette possibilité, non? Désolé, Rolf, murmura-t-il en baissant la tête.

Celie lui décocha un regard plein de mépris.

— Dans ce cas, Rolf ne serait plus le prince héritier, fit-elle remarquer. Sa chambre aurait été déplacée, ou rapetissée, ou je ne sais quoi.

— La chambre de Père et Mère est intacte, n'est-ce pas? demanda Lilah en se levant.

— Je n'ai pas regardé, admit lentement Rolf, qui se leva lui aussi.

Ils étaient tous debout maintenant, et le cœur de Celie palpitait encore davantage. Elle n'arrivait pas à croire qu'elle n'avait pas vérifié plus tôt la chambre de ses parents. Mais le château était en deuil… non? Il s'était drapé de noir et n'avait plus effectué de changements majeurs. Était-ce seulement parce qu'ils étaient tristes et effrayés? Le château pouvait-il percevoir la mort? Pouvait-il vraiment sentir que quelque chose était arrivé à leurs parents partis à des lieues?

Pogue posa les mêmes questions alors qu'ils se dépêchaient dans les couloirs.

— C'est un château... à quel point peut-il comprendre ?

— Ne parle pas comme ça, le prévint Celie. Il pourrait te jeter dehors !

— Ça demeure une bonne question, continua Rolf alors qu'ils arrivaient à la chambre de leurs parents. Personne ne le sait vraiment. Mais que nos parents soient vraiment décédés ou non, le château est bouleversé, et il se prépare pour *quelque chose*. Ne crois-tu pas, Celie ?

Celie se contenta de hocher la tête, un peu essoufflée d'avoir suivi le rythme des longues enjambées des autres. Le château se préparait pour quelque chose : un service commémoratif, un couronnement ; elle n'était pas certaine. Un genre de bourdonnement émanait des pierres, une espèce de prise de conscience jusque-là absente. Ou pas tout à fait présente en tous les cas.

— Voici venu le moment de vérité, annonça Rolf.

Il mit alors une main sur le loquet de la chambre de leurs parents.

— Dépêche-toi, Rolf, s'il te plaît, le pressa Lilah, avant qu'un des domestiques ne nous voie et se mette à penser que le chagrin nous a rendus fous.

Rolf ouvrit la porte, et ils se précipitèrent tous à l'intérieur. Il la referma rapidement derrière eux, et ils regardèrent partout dans la pénombre. La cheminée et les chandelles n'avaient pas été allumées, et les rideaux étaient tirés. Celie essaya de traverser la pièce pour les ouvrir, mais se cogna le tibia sur un tabouret bas.

— Aïe !

— Je vais le faire, proposa Lilah.

Elle se fraya avec élégance un chemin jusqu'aux fenêtres sans heurter quoi que ce soit et elle ouvrit les lourds rideaux.

Celie, son frère, sa sœur et leur ami regardèrent autour d'eux. Il y avait dans la pièce le tapis en peau d'ours déposé par terre devant la cheminée, sur le manteau de laquelle se trouvaient les figurines d'ivoire à l'effigie des quatre enfants royaux. Il y avait aussi le couvre-lit violet. Le métier à broder de leur mère dont le motif en cours de réalisation était à moitié terminé. Le piédestal sculpté au sommet duquel reposait, sur un coussin violet, la couronne d'État. Leur père avait emporté avec lui un diadème plus petit pour la cérémonie d'obtention du titre de sorcier conféré à Bran.

— Elle est pareille, chuchota Celie, sentant des larmes lui couler sur les joues.

— Oh, que devrions-nous faire ? demanda Lilah en se tordant les mains.

— Que veux-tu dire ? Ces nouvelles sont merveilleuses ! lui répondit Rolf, les yeux pétillants.

Il passa un bras autour de Celie et la serra fermement.

— Deux cents invités arrivent aujourd'hui pour des *funérailles*, rappela Lilah à son frère. Qu'allons-nous faire d'eux ? Les renvoyer chez eux ? Parce que le château croit que Mère et Père sont encore en vie ?

— Lilah ! s'exclama Celie, fâchée, se défaisant de l'étreinte de son frère. Ne crois-tu pas qu'ils sont vivants ?

— Je… j'aimerais, admit Lilah, ses grands yeux remplis de larmes. Mais il y a aussi le compte rendu d'Avery !

Elle tendit la main droite, leur montrant la bague de mariage de leur mère qu'elle portait au majeur.

— Et je dois être celle qui fait preuve de bon sens. S'ils ne sont pas…

Celie se lança vers Lilah pour l'étreindre. Rolf la suivit et prit ses deux sœurs dans ses bras. Pogue se tenait les mains dans les poches, regardant par la fenêtre, et brisa finalement le silence après quelques minutes.

— Voici ce que nous allons faire, suggéra-t-il. Nous allons tenir la cérémonie, car tout est planifié. Les invités arrivent, ils l'attendent, et nous nous devons d'honorer ceux qui sont réellement morts dans l'embuscade. Toutefois, après la cérémonie, je partirai au col avec des hommes et je ferai moi-même des recherches. Discrètement. Je connais bien l'endroit, et la majorité des bergers et des fermiers me connaissent ; ils seront peut-être portés à me confier des choses qu'ils n'auraient pas racontées aux soldats.

— J'ai une meilleure idée, dit Rolf, baissant les bras et adoptant une pose de réflexion près de la cheminée. Et si tu te rendais *au-delà* du col ?

— Où ? demandèrent Pogue et Lilah simultanément.

Pogue fit un clin d'œil à Lilah, qui rougit.

— Au Collège de sorcellerie, précisa Rolf, tout excité. Je ne peux pas croire que nous n'y ayons pas pensé plus tôt ! À l'aide de leur magie, ils doivent sûrement être en mesure de faire quelque chose, de trouver qui a été tué, ou de chercher des survivants !

— Ils doivent savoir comment retracer Bran, ajouta Celie, saisissant le col de sa robe dans une tentative pour contenir son cœur emballé. Il y a étudié pendant trois ans! Peut-être qu'ils pourraient le chercher dans... dans une boule de cristal ou quelque chose du genre!

— Pogue, accepterais-tu? le supplia Lilah en lui tendant la main.

Il lui prit la main et l'embrassa, ses anciennes manies de charmeur refaisant surface.

— Pour toi, je ferais n'importe quoi!

Celie et Rolf roulèrent les yeux, mais ils affichaient un large sourire.

Chapitre 8

Plus d'une semaine s'était écoulée depuis le service commémoratif, mais beaucoup d'invités s'éternisaient au château. Celie n'arrivait pas à trouver un seul coin qui ne fût pas occupé par un serviteur vhervhinois ou par un courtisan grathien. Ils étaient partout, à agiter leurs mouchoirs parfumés (les Grathiens) ou à lancer des regards furieux et à tripoter leurs couteaux à la ceinture (les Vhervhinois). Il y avait de plus des Sleynois qui manifestaient un intérêt passionné envers les « pauvres orphelins royaux ». Les femmes du village et les fermières de toutes les lieues à la ronde se pressaient sans cesse autour de Celie, lui pinçaient les joues et lui demandaient si elle mangeait suffisamment. Pour ne pas songer à l'incertitude du sort de ses parents, Celie travaillait à son atlas du château ; mais se faire pincer les joues par une fermière rondelette ou se faire chatouiller le nez par un foulard n'aidait en rien.

Celie était parvenue à se convaincre que la réalisation d'un atlas réglerait tout. Elle se voyait en train de terminer la carte finale de son recueil, qu'elle protégerait par une couverture de cuir. Et, au moment d'attacher la dernière lanière qui permettrait de fermer la couverture, elle entendrait le bruit des chevaux dans la cour, des voix excitées s'élèveraient, puis papa, maman et Bran seraient là, fatigués mais sains et saufs, descendant de leurs chevaux. Elle les serrerait fort dans ses bras, ferait cadeau de son atlas à son père et lui dirait qu'elle avait toujours su qu'ils reviendraient tous et qu'elle avait donc travaillé à son atlas pendant leur absence. Son père la complimenterait pour son talent, il admirerait l'atlas, et ils célébreraient le tout d'un festin.

Elle essayait de garder résolument ce scénario en tête, mais le doute s'insinuait parfois. Elle avait alors des images d'une file de sorciers à l'air sombre qui entraient dans la cour, escortés par Pogue, qui secouaient la tête et affirmaient être certains de la mort du roi et de la reine. Quand ses pensées devenaient si négatives, ses doigts s'engourdissaient, et elle restait assise paralysée durant des heures à fixer le vide. Lorsqu'elle se débarrassait finalement de ces images, elle constatait parfois que ses joues étaient mouillées et son corsage, trempé, mais elle ne se souvenait jamais du début ni de la durée de ses pleurs.

Elle recommença à se cacher sous le trône, même si Rolf ne s'y assoyait plus. En fait, la salle du trône elle-même ne servait pratiquement plus, ce qui permettait à Celie de l'utiliser à son aise. Elle se faufilait dans la pièce après le petit déjeuner et elle s'assoyait sur le plancher derrière le trône. Si jamais quelqu'un entrait, elle attrapait ses choses, puis se glissait à reculons sous le trône, un peu comme une tortue se rétractant dans sa carapace.

Elle était en train de dessiner de mémoire l'aile sud, où étaient logés les invités grathiens, lorsque la porte de la salle s'ouvrit. Celie ramassa en vitesse ses crayons fusains et son parchemin, puis elle se glissa sous le trône en poussant un soupir agacé. Ce n'est pas qu'elle faisait quelque chose de mal ; on aurait simplement dit que personne ne semblait vouloir lui donner le temps de travailler à son atlas.

Elle allait sortir la tête et jeter un regard de travers au premier venu, lorsque soudain elle entendit une voix. Celie s'attendait à la voix de Rolf, ou peut-être de Lilah, ou encore d'un des conseillers de son père. Mais elle n'arrivait pas à reconnaître la personne qui s'exprimait.

La personne parlait vhervhinois.

Celie se repositionna en se tortillant de manière à pouvoir espionner par le treillis à l'avant du trône. Il y avait deux hommes : l'ambassadeur vhervhinois et le prince Khelsh. C'était ce dernier qui parlait. En fait, il aboyait ses mots et il serrait fermement sa large ceinture, comme pour s'empêcher d'étrangler l'ambassadeur, qui tremblait de peur devant la colère du prince. C'était compréhensible, celui-ci était bâti comme un taureau et il aurait pu soulever l'ambassadeur d'une seule main s'il l'avait voulu.

La réponse de l'ambassadeur sortit comme un geignement. Il se tordait les mains et faisait de grands gestes. De toute évidence, il n'était pas content de ce qu'il devait annoncer au prince, et ce dernier n'était pas plus heureux d'entendre les propos de son interlocuteur. Celie remarqua que les mêmes mots revenaient encore et encore dans la conversation, et elle les nota de son mieux. Elle se dit qu'elle pourrait plus tard les chercher dans le guide de conversation en vhervhinois, aperçu dans la tour des longues-vues, et qu'elle pourrait peut-être deviner ce qui mettait le prince Khelsh dans un tel état. Les veines de son cou étaient gonflées de façon alarmante, et il commençait à enfler comme un ouaouaron. Celie s'attendait presque à voir se déchirer le haut collet de l'épaisse tunique du prince sous la force de son mécontentement.

Dès que le prince Khelsh et son ambassadeur furent sortis, Celie s'extirpa de sa cachette pour se précipiter dans le corridor des domestiques. Elle arriva au couloir principal, directement face à l'escalier de la tour des longues-vues. Elle jeta un coup d'œil aux alentours pour s'assurer que personne ne la voyait, avant de monter précipitamment les marches. C'était le seul autre endroit où elle pouvait avoir un peu d'intimité, mais elle hésitait toujours à y aller. Il y faisait froid en raison des quatre énormes fenêtres, et il n'y avait pas de tapis ni de tapisseries pour réchauffer le sol ou les murs de pierre. De plus, quelque chose… d'étrange habitait cette pièce. On s'y sentait immergé dans une atmosphère d'attente, comme si le château avait créé cette pièce dans un but précis, qui demeurait encore inconnu.

Celie ferma la grande porte de bois derrière elle, sans penser pour autant qu'elle aurait pu avoir été suivie.

Même Rolf et Lilah n'arrivaient jamais à trouver l'escalier sans la présence de Celie. Elle s'approcha de la grande table et prit le guide de conversation en vhervhinois. Il y avait une liste de mots à l'endos, et elle la parcourut des yeux pour trouver ceux qu'elle avait entendus. Elle les avait tous mal orthographiés mais, en les prononçant à voix haute, elle réussit à en reconnaître trois.

Château — pas surprenant.

Héritier, ou prince héritier — encore une fois, pas très surprenant. C'était évident qu'ils parleraient de Rolf.

Tuer.

Ce dernier mot n'était pas bien intéressant. En fait, le vhervhinois était une langue guerrière, et le peuple vhervhinois possédait une panoplie de mots différents pour désigner les actes violents. Selon le livre, ce mot particulier signifiait « tuer en secret » ou « assassinat ».

Les Vhervhinois planifiaient-ils l'assassinat de Rolf?

Celie descendit les marches en courant, pivota sur elle-même et remonta. Elle ramassa le manuel et son atlas, le premier comme preuve et le deuxième, au cas où elle aurait besoin de certaines cartes. Lilah avait mentionné qu'elle irait vérifier les magasins du château avec Madame la gouvernante afin de s'assurer qu'il y avait assez de nourriture et de chandelles pour satisfaire aux besoins des invités qui s'éternisaient. Rolf était allé au village pour s'entretenir, avec les artisans locaux, de la possibilité d'ériger un monument à la mémoire de ceux qui étaient morts dans l'embuscade. Le père de Pogue, Dammen Parry, y serait. Comme le prince Khelsh, maître

Parry était de la taille d'un bœuf mais, contrairement au prince, il aimait beaucoup Rolf. Rien ne pouvait arriver à Rolf tant que le forgeron serait à ses côtés.

En tournant vivement le coin juste avant d'arriver à l'escalier en colimaçon qui menait aux magasins, Celie heurta quelqu'un. Son atlas et le manuel furent projetés en l'air, de même qu'un très petit chien.

— Oups! Désolée!

Celie se dépêcha de ramasser ses choses tandis que non pas un, mais trois petits chiens tournaient autour de ses chevilles en jappant.

— Non!

Elle claqua des doigts à l'intention de l'un d'eux, qui essayait de gruger son atlas.

— Je suis beaucoup désolé, princesse Cecelia, dit la personne qui venait d'être heurtée par Celie.

Elle leva doucement la tête, longuement, jusqu'à ce qu'elle aperçoive le visage du prince Lulath. Le prince était très grand, mais si mince qu'il ressemblait à un de ces roseaux qui poussent en bordure de la rivière et qui plient jusqu'à toucher le sol lorsque souffle le vent. Il portait une tunique jaune dont les manches touchaient presque le plancher, et ses cheveux étaient presque aussi longs que ceux de Celie.

— Il n'y a pas eu de mal, murmura-t-elle.

Elle eut soudainement peur qu'il veuille aussi assassiner Rolf. Elle dissimula le livre de vhervhinois et l'atlas derrière son dos, puis se mit à marcher de côté.

— Vous allez sûrement avoir beaucoup de plaisir aujourd'hui, n'est-ce pas?

— Euh, je suppose, dit-elle, déconcertée.

À quel point était-elle censée avoir du plaisir, considérant que ses parents et son frère étaient présumés morts ?

— Le château, il fait beaucoup de choses amusantes pour vous ?

Le prince Lulath, ramassant ses chiens sans baisser le regard, lui emboîta le pas lorsqu'elle se mit à avancer dans le couloir. Il avait un large sourire, et ses yeux bleus fixaient le visage de Celie.

— Parfois, pas dernièrement, répondit-elle.

Il fronça les sourcils et fit un signe de tête.

— Oui, les parents. Je suis très triste pour vous.

— Merci.

— Je reste, parce que peut-être que vous et le frère et la sœur aurez besoin d'aide, expliqua-t-il avec enthousiasme. J'ai aidé mon père, de nombreuses années, à diriger Grath.

— C'est très gentil, je suis certaine que vous êtes très bon... pour ça, le remercia Celie.

— Je ne suis pas aussi bon que vous, pour parler avec le château, nuança-t-il.

Celie se redressa et avança le menton. Était-il de connivence avec le prince Khelsh ?

— Non, bien sûr que non, répondit-elle avec toute l'assurance qu'elle put afficher. Le château me fait effectivement des faveurs.

Elle caressa d'une main le mur de pierre du couloir.

— À moi, à Lilah et à Rolf. Le château a choisi Rolf comme prochain roi, vous savez. Il sera très fâché si ce n'est pas lui.

— Je comprends, dit le prince Lulath.

Il prit ses chiens dans une seule main pour être en mesure, de sa main libre, de toucher lui aussi le mur.

— Le château, s'il vous aime, doit être une chose très formidable.

— Oui, et très puissante, insista Celie.

— C'est là le vrai, continua le prince Lulath. J'ai déjà remercié parce que les chambres où l'on est sont de plus en plus belles.

— De plus en plus belles?

Celie s'arrêta dans sa tentative de quitter les lieux, soudainement intéressée à ce qu'il disait.

— Oui, renchérit le prince Lulath. Elles étaient bien quand nous sommes arrivés ici la semaine passée, ajouta-t-il précipitamment. Mais maintenant qu'elles sont plus grandes et... plus douces... elles sont plus belles. Et je vous remercie, si c'était grâce à vous.

Il s'inclina devant elle.

— Je... je vous en prie, répondit Celie d'un signe de tête. Je dois vraiment y aller. Je dois aider Lilah.

— Vous lui direz merci, aussi?

Le prince Lulath hochait la tête de haut en bas et il avait un sourire... tendu, remarqua-t-elle. Il n'avait certainement pas l'air d'un assassin dans sa tunique jaune, avec ses chiens ridiculement petits.

— Oui, promit Celie. Au revoir!

Elle descendit avec fracas l'escalier en spirale qui menait aux magasins.

Quand elle trouva enfin Lilah et la gouvernante, la tête lui tournait tellement qu'elle ne savait plus quoi dire. Celles-ci la regardèrent d'un air interrogateur. Celie se tenait dans l'embrasure de la porte, essoufflée (elle avait dû descendre beaucoup de marches et traverser un long couloir avant d'arriver aux magasins, qui, dans un autre château, auraient probablement été les donjons).

— Eh bien, Celie, que se passe-t-il ? dit Lilah en se frottant la main pour faire disparaître une tache.

— Avez-vous vu les quartiers du prince Lulath ?

Ce furent les premiers mots à sortir de la bouche de Celie, qui se le reprocha tout de suite silencieusement. Rolf ! Elle voulait avertir Lilah que Rolf courait un grave danger !

— Bien sûr que non, rougit Lilah qui lança un regard gêné à la gouvernante.

— Il dit que ses chambres sont maintenant mieux qu'à son arrivée, ajouta Celie.

Elle songea qu'il valait probablement mieux ne pas mentionner le complot vhervhinois devant les domestiques.

— Vraiment ? rétorqua Lilah en regardant des barils de cornichons. Tu es venue jusqu'ici pour me raconter ça ? Il a des dizaines de serviteurs, Celie ; ils ont probablement apporté leurs propres meubles.

— Oui, mais ce n'est pas la seule raison pour laquelle je suis ici.

Celie pointa la gouvernante du regard, puis fit de grands yeux à Lilah.

Celie avait confiance en la gouvernante, une femme brusque et efficace, et elle savait que celle-ci ne causerait jamais de tort intentionnellement à Rolf ou à tout autre membre de la famille. Mais il y avait toujours les commérages, qui se répandaient à la vitesse de l'éclair chez les domestiques. Si le prince Khelsh apprenait qu'on le soup-çonnait, est-ce que ça le chasserait, ou s'il agirait au contraire plus rapidement?

— Alors, qu'y a-t-il de plus? demanda Lilah en frot-tant une autre tache.

— Je, je dois te parler. Euh, seule à seule.

Celie s'excusa du regard auprès de Madame la gouvernante.

— Vous pouvez y aller, princesse Delilah, assura gentiment la vieille dame. Nous avons presque terminé, et ce n'est pas nécessaire que vous restiez ici en bas dans l'obscurité toute la journée. Je vais m'occuper de ce dont nous avons parlé.

— D'accord, accepta Lilah, qui affichait malgré tout un air renfrogné.

— Je suis désolée, tu es toujours si occupée, dit Celie à Lilah alors qu'elles sortaient ensemble des magasins.

— Quelqu'un doit l'être, soupira Lilah en esquissant un sourire à l'intention de Celie. Alors, de quoi s'agit-il? Pourquoi te promènes-tu avec tous ces livres et toutes ces choses?

— Oh! Lilah!

Celie s'arrêta net en plein milieu du long couloir.

— Lilah, c'est terrible! J'étais dans la salle du trône. Le prince Khelsh est arrivé avec son ambassadeur, et ils criaient; alors je me suis cachée et j'ai noté ce qu'ils disaient, et je suis pas mal certaine qu'ils vont tuer Rolf! acheva-t-elle en sanglotant.

— Quoi? Ah, Celie! C'est impossible! Comment pouvais-tu savoir ce qu'ils disaient? Le prince Khelsh parle à peine notre langue.

Celie lui montra le guide de conversation en vhervhinois.

— C'était dans la tour des longues-vues, lui rappela-t-elle. J'ai noté les mots qu'ils répétaient sans cesse, afin de pouvoir les chercher par la suite. Ils ont dit « héritier », comme dans prince héritier, et ils ont prononcé un mot qui signifie « assassiner ».

Elle eut un hoquet.

Lilah regarda attentivement les mots que Celie avait notés sur sa feuille, puis elle vérifia dans le manuel. Son visage pâlit dans la faible lumière de la torche.

— Nous devons trouver Rolf, dit-elle. Et le sergent Avery.

Chapitre 9

Chapitre 9

L orsque les sœurs trouvèrent Rolf, ce dernier ne fut pas d'avis qu'il y avait matière à s'inquiéter.

— Les Vhervhinois passent leur temps à comploter des assassinats, dit-il avec désinvolture. Aujourd'hui c'est moi, demain ce sera le prince Lulath, j'en suis certain.

— Lulath pose un autre problème, ajouta Lilah. Il a dit à Celie que ses quartiers se sont améliorés depuis son arrivée.

Celie, bouche bée, dévisagea Lilah. À peine quelques minutes auparavant, sa sœur aînée avait balayé ses inquiétudes à ce sujet, comme si elles n'avaient aucune importance.

Avant que Celie n'eût le temps de faire des histoires, Lilah lui lança un regard désolé.

— À bien y penser, c'est effectivement étrange que les quartiers de Lulath soient devenus plus beaux. Nous devrions examiner ce qu'il en est. Mais nous ne pouvons pas non plus faire irruption chez lui et exiger de faire la tournée des lieux !

Elle ajouta, en se tournant vers Rolf :

— Et comment ferons-nous sortir Khelsh et tous ses hommes du château ?

— C'est ce que nous devrions assurément faire en premier, dit Rolf.

— Même si tu n'as pas peur que ses hommes essaient de te tuer ? dit Lilah en rougissant.

Celie ne savait pas vraiment si sa sœur était sérieuse ou non. Elle souhaitait ardemment que Rolf ne soit pas effrayé, qu'il la rassure que tout irait bien et qu'aucun d'entre eux ne devait avoir peur de quoi que ce soit. D'autre part, si Rolf n'avait pas peur, c'était peut-être par pure inconscience. Les Vhervhinois étaient dangereux, particulièrement le prince Khelsh, et Celie était absolument certaine qu'ils essaieraient de faire du mal à Rolf avant la fin de la semaine.

— Les filles, dit Rolf en passant un bras autour de chacune de ses sœurs pour leur faire traverser la cour. Je vous promets de raconter tout cela au sergent Avery. Si aucune d'entre vous n'est auprès de moi, un garde m'accompagnera.

— Non, protesta Lilah en se dégageant pour retourner à la salle des gardes. Un garde devrait t'accompagner en tout temps, même en présence de Celie ou moi.

— Bon, d'accord, accepta Rolf.

Celie était sur le point de lui demander s'il avait peur, puisqu'il n'avait pas encore répondu à cette question. Mais elle resta muette. Rolf *avait* peur, constata-t-elle avec angoisse. Autrement, il n'aurait pas fait demi-tour et suivi Lilah dans la salle des gardes.

Ils trouvèrent le sergent Avery et s'organisèrent pour que deux hommes soient affectés à la protection de Rolf. Le sergent offrit aussi de faire accompagner Celie et Lilah, ce que Rolf accepta immédiatement. Les deux sœurs échangèrent un regard, aucune des deux ne voulant d'un garde sur les talons. Comment Celie pourrait-elle continuer de se faufiler partout dans le château comme à son habitude si un colosse la suivait partout ? Et Lilah, elle le savait, aimait bien rencontrer Pogue en secret de temps à autre.

Bien sûr, Pogue était maintenant parti. Il avait quitté le matin après le service commémoratif, tel que promis. Il irait d'abord poser des questions aux bergers qui vivaient dans la région du col pour savoir s'ils avaient vu ou entendu quoi que ce soit. Il irait ensuite au Collège de sorcellerie pour s'enquérir auprès des sorciers s'ils avaient un moyen de retracer Bran. Celie était certaine qu'il reviendrait avec d'importantes nouvelles. Nul ne savait cependant à quel moment.

— Si seulement Pogue était ici, s'exclama Lilah lorsqu'ils sortirent.

— C'est ce à quoi je pensais ! dit Celie en prenant la main de Lilah.

Rolf leva les bras en l'air.

— Qu'est-ce qu'il a tant ? Je le concède, il est très beau, mais vraiment, il a donc réussi à vous charmer, vous deux aussi ? Et toutes les filles du village en plus ?

— Toutes les filles du village en plus ? Que veux-tu dire ? demanda Celie.

Lilah rougit.

— Rolf! Pogue est en train d'essayer de découvrir ce qui est arrivé à notre frère et à nos parents! lui rappela-t-elle. C'est tout ce que je voulais dire, et Celie aussi, j'en suis sûre.

— Qu'est-ce que je pourrais vouloir dire d'autre? ajouta Celie en regardant son frère d'un air perplexe.

— Oui, bien sûr, ricana Rolf en tirant les cheveux de Celie. Un jour, Cel, en regardant Pogue, tu te diras : « Je n'ai jamais vu un jeune homme aussi ravissant. » Comme le pensent déjà toutes les autres jeunes filles qui ont déjà eu l'occasion de l'apercevoir.

— Rolf, dit Celie, qui se mit à rougir en saisissant ce qu'il disait. Est-ce que tu parles... d'embrasser?

— Oui, ma chère, c'est ce dont il parle, confirma Lilah. Mais seulement parce qu'il se trouve drôle. Et, en vérité, il ne l'est pas, ajouta-elle, fronçant les sourcils alors qu'elle regardait en direction de Rolf.

— Si mes plaisanteries ne vous amusent pas, mesdemoiselles, laissez-moi vous demander pardon, dit Rolf.

Désireux d'étaler sa galanterie, il leur fit la révérence à maintes reprises, en reculant sur ses pas.

Celie vit le regard de Rolf se porter un instant derrière leurs épaules, et elle comprit que leurs gardes du corps les suivaient. Le dos commença immédiatement à lui démanger entre les omoplates, et elle voulut se retourner. Mais elle savait qu'elle ne devait pas s'écouter. Ils montaient à présent les marches qui menaient à l'entrée principale du château, et elle pouvait voir que des visages les observaient par les fenêtres. Si certains d'entre eux étaient vhervhinois, elle ne voulait pas qu'ils croient que la présence de gardes du corps auprès des enfants était pour ces derniers quelque chose de nouveau et d'étrange. Il fallait que ces curieux se demandent plutôt depuis combien de temps les membres de la famille royale étaient ainsi protégés. Il fallait qu'ils voient que des hommes entraînés à combattre assuraient toujours la surveillance, prêts à agir pour protéger les enfants Malicieux.

— Nous devrions aller échanger quelques mots avec le prince Lulath, proposa Rolf devant eux. Une simple discussion amicale. Si ses quartiers sont vraiment si beaux, ce serait simplement un signe de politesse de lui rendre visite, de le saluer, et peut-être de jeter un coup d'œil sur les lieux.

Il se tourna vers Celie et Lilah pour voir si elles étaient d'accord.

— Mère voudrait effectivement que nous soyons hospitaliers, répondit Lilah, le sourire au coin des lèvres.

Toutefois, à peine venaient-ils de pénétrer dans le hall d'entrée principal qu'ils furent abordés par plusieurs des conseillers de leur père. Ils se tenaient silencieusement devant les pierres pâles de la pièce dans leurs longues robes noires, et, tous regroupés ainsi, ils avaient l'apparence d'un bosquet par une nuit de lune. Celie dût réprimer un petit cri d'effroi lorsque le plus éminent d'entre eux s'avança soudainement et commença à parler.

C'est seulement le seigneur Feen, dut-elle se rappeler sévèrement. Il était porte-parole du Conseil depuis bien avant qu'elle soit née… en fait, il en était probablement déjà le porte-parole avant même la naissance de son père. Son visage ridé était sombre, mais il faut aussi dire que son visage était toujours sombre. Ce n'était donc peut-être pas signe qu'il avait de terribles nouvelles à annoncer.

— Il y a quelque chose dont nous aimerions discuter, déclara le seigneur Feen de sa voix tremblante.

— Ah, Seigneur Feen !

Rolf était sur le point de donner une tape amicale dans le dos du vieil homme, mais il se ressaisit au dernier moment et lui tapota tout doucement l'épaule.

— Mes sœurs et moi allions rendre visite à l'un de nos invités étrangers, et je serai ensuite à votre disposition.

— Vous serez à notre disposition maintenant, insista l'émissaire. C'est trop urgent pour reporter la chose par caprice. La présence des princesses ne sera pas nécessaire, ajouta-t-il en regardant Celie et Lilah.

— Je reste, déclarèrent simultanément ces dernières.

— Si je suis nécessaire, mes sœurs le sont aussi, trancha Rolf.

Sa voix était douce, mais une nuance de fermeté dans son ton fit apparaître une lueur d'irritation dans les yeux de l'émissaire.

— Si vous voulez bien, messieurs ?

Rolf se retourna et passa par les portes sculptées qui menaient à la salle du trône.

Trois chaises étaient disposées devant l'estrade du trône. Rolf prit celle du milieu, et Celie et Lilah s'assirent à ses côtés. Les conseillers durent rester debout, mais ce n'était pas une insulte pour eux : ils étaient toujours debout. Ainsi, ils se sentaient plus grands, plaisantait toujours Rolf.

Ils se sentaient ainsi plus *puissants*, pensait plutôt Celie.

Les membres du Conseil se dressant maintenant au-dessus d'eux, Celie aurait bien aimé que le château leur eût fourni des chaises plus élevées. Elle se raidit la colonne et s'assura de soutenir le regard du seigneur Feen lorsque celui-ci regardait dans sa direction, ce qui n'arrivait pas souvent étant donné qu'il ne souhait parler qu'à Rolf. Son frère était assis nonchalamment sur sa chaise, comme s'il avait l'air de s'ennuyer, mais Celie pouvait voir que sa mâchoire et ses épaules demeuraient tendues. Elle savait qu'il se donnait une contenance pour paraître plus âgé. Et plus courageux.

Son manège semblait fonctionner, pensa Celie avec admiration. Rolf ne pâlit et ne broncha pas à l'annonce que le Conseil lui fit. Il écouta les conseillers, hocha sagement la tête, puis émit des bruits réfléchis en guise de réponse, sans vraiment dire quoi que ce soit, tout comme leur père le faisait lorsqu'il n'était pas certain d'apprécier ce qu'il entendait.

Celie et Lilah, au contraire, pâlirent *et* bronchèrent, et Celie dut se mordre les lèvres pour s'empêcher de crier au seigneur Feen. Lilah, les mains crispées sur les bras de sa chaise, semblait également faire de gros efforts pour se retenir de crier.

Ou de pleurer.

Le Conseil était d'avis que la preuve rapportée par le sergent Avery était tout à fait claire : le roi Malicieux LXXIX était mort, ainsi que la reine et leur fils aîné. Il y avait eu un service en leur mémoire. Il était maintenant temps pour le roi LXXX (c'est-à-dire le quatre-vingtième du nom) d'accéder au trône.

Rolf. Ils voulaient couronner Rolf le plus rapidement possible.

Celie et Lilah tressaillirent toutes les deux. Celie voulait leur crier que ses parents n'étaient pas morts : le château leur aurait fait signe si c'avait été le cas. Mais elle avait été élevée à ne pas interrompre les discussions portant sur les affaires d'État, ni à contredire ses aînés, si bien qu'elle choisit de se taire. Puis le reste des paroles du seigneur Feen résonna avec fracas, rendant Celie de plus en plus blême, lui donnant de moins en moins le goût de crier, mais de plus en plus l'envie de pleurer.

En effet, le seigneur Feen et le reste du Conseil croyaient que la véritable raison pour laquelle Rolf refusait d'accéder au trône était qu'il se pensait incapable de régner. Le Conseil comprenait la situation, répétait sans cesse le seigneur Feen d'une étrange voix douce, qu'il devait probablement aussi utiliser lorsqu'il s'adressait à des chiens méfiants et à des chevaux nerveux. Le Conseil ne laisserait pas Rolf diriger le royaume seul.

— Que voulez-vous dire exactement ?

Rolf plissa les yeux en regardant le seigneur Feen.

— Je veux dire que nous, vos régents, vous guiderons dans toutes vos actions, jusqu'à ce que vous atteigniez un âge auquel vous pourrez gouverner seul, expliqua le seigneur Feen.

— Une régence ? s'exclama Lilah le souffle coupé. Mais Père n'aurait jamais…

— Quel père, quel roi est en mesure d'imaginer qu'il devra céder le trône à un héritier aussi jeune ? dit l'émissaire, qui fit un pas vers l'avant. Votre père n'avait naturellement pas pris de dispositions pour une régence, car il n'aurait jamais pu en imaginer la nécessité. Mais il est évident que Rolf, à son jeune âge, ne peut supporter le fardeau de la couronne.

— Je vois, dit Rolf en se levant. Je vous remercie de votre sollicitude. Le royaume a besoin d'un dirigeant fort, c'est vrai, et la… mésaventure de mes parents a été soudaine et consternante. Je suis prêt à accéder au trône et à gouverner en tant que roi Malicieux LXXX. On m'y prépare depuis l'âge de cinq ans, et le château Malicieux lui-même m'a déclaré véritable prince héritier de mon père. S'il s'agit effectivement des volontés du Conseil qu'un roi soit désigné dès maintenant pour le trône, avant que nous ayons découvert le véritable sort de mes parents, qu'il en soit ainsi. Mais jamais un roi Malicieux n'a gouverné sous une régence, et je n'ai pas l'intention d'être le premier !

Rolf décocha un regard sévère à chacun des conseillers.

Celie aurait voulu applaudir. Voilà pourquoi Rolf avait été choisi par le château. Il était toujours prêt à rire, à s'amuser ou à plaisanter, mais, lorsque la situation était sérieuse, Rolf savait ce qu'il convenait de dire et comment le dire. Lilah avait les joues rouges et regardait elle aussi Rolf avec admiration.

Le Conseil, au contraire, n'était pas impressionné.

Les membres fronçaient les sourcils et secouaient la tête. Quelques-uns souriaient, mais leur sourire indiquait plutôt qu'ils trouvaient Rolf amusant. Comme un jeune enfant, ou un chien à qui on aurait appris des tours.

— Très bien, dit le seigneur Feen. Mais vous êtes minoritaire.

— Minoritaire ?

Rolf fronça les sourcils.

— Que voulez-vous dire ?

— Le Conseil est passé au vote, et il a été décidé, à l'unanimité, qu'une régence était requise.

— Je suis aussi membre du Conseil, rappela Rolf. Et je vote en défaveur de la régence.

— Nous prenons note de votre position, releva le seigneur Feen. Cependant, la majorité demeure en faveur de la régence.

— Mais si je suis roi…, commença Rolf.

— Mais vous ne l'êtes pas, le contredit l'émissaire. Pas encore. Dans l'intervalle, à titre de prince héritier, vous êtes soumis au Conseil, qui a décidé de vous guider dans votre règne jusqu'à ce que vous atteigniez un âge plus mûr.

Rolf demeura silencieux un long moment. D'abord très rouge, son visage devint blême. Celie pouvait sentir son propre sang circuler dans son corps d'une manière étrange, irrégulière, et elle savait que ses joues étaient le miroir de celles de Rolf : d'abord rouges, ensuite blanches, puis de nouveau rouges.

— Très bien, murmura Rolf. Si je puis me permettre : Quand atteindrai-je un âge « plus mûr » ? comme vous le dites.

— Le Conseil a décidé que 10 ans de gouvernance sous nos judicieux conseils devraient vous rendre apte à gouverner de manière indépendante, précisa l'émissaire avec un sourire mielleux. Grâce à notre tutelle, vous deviendrez peut-être le meilleur roi Malicieux de tous les temps !

— Dix ans !

La gorge de Celie était si sèche que cette dernière arrivait à peine à murmurer, et elle croyait bien que personne n'avait pu l'entendre.

— Rolf ne sera pas vraiment roi avant ses…

— Vingt-quatre ans, termina son frère. Vous voulez que je me soumette à une régence jusqu'à mes 24 ans.

Il se laissa tomber dans sa chaise et tendit une main à chacune de ses sœurs.

Celie prit la main qu'il lui tendait entre leurs chaises. Quelque chose semblait avoir changé, et c'est à ce moment-là qu'elle se rendit compte que les pierres sous sa chaise étaient plus hautes, ce qui rendait Celie un tout petit peu plus grande.

Chapitre 10

Le couronnement allait avoir lieu presque immédiatement. En fait, le Conseil avait déjà planifié l'événement dans les moindres détails, et les invités de Grath et de Vhervhine avaient été invités à rester jusqu'après la cérémonie, ce qui expliquait pourquoi tous les princes, leurs gardes et leurs serviteurs étaient demeurés sur place après le service commémoratif. Le Conseil avait aussi envoyé des invitations aux autres nations et à tous les nobles de Sleyne.

— Donc, les seules personnes qui ignoraient mon couronnement d'ici la fin de la semaine étaient vous deux et moi ! s'exclama Rolf, en saisissant un des oreillers de Lilah pour le lancer contre le mur.

— C'est une insulte, convint Lilah. Mais il n'y a absolument rien que nous puissions y faire.

— Mais je suis censé être le roi !

Un autre oreiller frappa le mur.

— Sous une régence, être roi n'est pas très significatif, déclara Lilah.

— Lilah !

Celie était au bord des larmes.

— Ne sois pas méchante !

Celie ramassa un des oreillers tombés par terre et le serra contre sa poitrine. Elle était recroquevillée sur la banquette de fenêtre, essayant de se faire aussi petite que possible. La nouvelle que Rolf devrait gouverner sous une régence avait été presque aussi surprenante et bouleversante que l'annonce de la mésaventure de leurs parents, pour employer l'expression de Rolf. Comme si ce n'était pas assez, Rolf était furieux depuis des jours et il n'arrêtait plus de se disputer avec Lilah. Celle-ci l'exhortait à cesser de se plaindre et à accepter la situation. Rolf rétorquait hargneusement et menaçait de contredire le Conseil sur tout et rien.

Lilah alla s'asseoir près de Celie sur la banquette.

— Je n'essaie pas d'être méchante, ma chérie, j'essaie d'être pratique. La régence sera instaurée qu'on le veuille ou non, et plus Rolf se disputera avec le Conseil, plus il se fera traiter comme un enfant.

— Alors tu penses que je devrais simplement me contenter d'être d'accord avec tout ce qu'ils disent ?

Rolf prit un oreiller et le regarda comme s'il voulait l'assassiner plutôt que le lancer contre le mur.

— Non, ce n'est pas ce que j'ai dit, répliqua Lilah. Je veux seulement signifier que tu devrais montrer que tu es prêt à travailler de pair avec les membres du Conseil, à écouter ce qu'ils ont à dire. Tout sera alors beaucoup plus facile pour chacun d'entre nous.

— Je ne veux pas que les choses soient faciles ; je veux qu'elles soient justes ! rétorqua Rolf.

— Lorsque Pogue reviendra avec ses nouvelles, commença Celie, le Conseil verra que…

Elle s'arrêta après avoir constaté que Lilah et Rolf s'étaient échangé un regard.

— Qu'y a-t-il ? Qu'est-il arrivé à Pogue ? demanda Celie, l'estomac noué.

— Rien, ma chérie, rien, la rassura Lilah. Du moins, rien dont nous ne soyons déjà au courant. Mais le Conseil a envoyé un messager le chercher ce matin. Les membres ont décidé de mettre un terme aux recherches visant à retrouver Mère, Père et Bran.

— Quoi ?

Celie lança aussi son oreiller de toutes ses forces contre le mur, ce qui faisait *effectivement* du bien.

— Comment ont-ils pu ? N'est-ce pas… de la trahison… ou quelque chose du genre ?

— J'ai bien peur que non, lui dit Rolf. En tant que membres du Conseil royal de Sleyne, ils ont le droit de déclarer Mère et Père morts. Apparemment.

Sa gorge se serra. Il avala sa salive comme s'il avait mangé quelque chose de mauvais.

— Il n'y a absolument aucune raison, maintenant que le service commémoratif a eu lieu, de gaspiller du temps et de l'argent à chercher leurs corps.

Il leva les mains pour se défendre, car Celie lui lançait un regard meurtrier.

— C'est ce qu'*eux* disent, pas moi.

— Mais… On ne peut tout simplement pas laisser tomber Mère, Père et Bran !

— On ne les a pas abandonnés, dit Rolf, qui s'assit à son tour sur la banquette de fenêtre avec Celie et Lilah. Je jure que non. J'ai remis au messager une note à l'intention de Pogue, en plus de la lettre officielle du Conseil. J'ai écrit ce qui est arrivé, la régence et tout et tout, puis je lui demande de ne pas revenir tout de suite, d'attendre le temps qu'il pourra, et de faire tout en son possible pour retrouver les parents. Il pourra dire au messager qu'il a décidé de rester sur place pour visiter des proches.

— C'est vrai, il a des cousins qui habitent près du Collège de sorcellerie, confirma Lilah. S'il y est en ce moment, il loge probablement chez eux de toute manière.

— Tu vois ? Tout va bien se terminer, la rassura Rolf, d'un sourire hésitant. Pogue continuera de chercher jusqu'à ce qu'il trouve quelque chose, puis il reviendra me faire son rapport, à moi directement.

Celie savait qu'ils essayaient seulement de la rassurer ; de toute évidence, même Lilah et Rolf ne croyaient plus au retour de leurs parents. Mais Celie, *elle*, y croyait toujours. Elle savait que son père, sa mère et Bran étaient toujours en vie. Elle le sentait. Tout ce qu'ils pouvaient faire était d'attendre et d'espérer, et de continuer du mieux qu'ils le pouvaient, malgré le Conseil, le couronnement et tout ce qui s'ensuivait.

— Maintenant, dit Rolf en sautant sur ses pieds, qui veut venir avec moi à l'atelier des couturières afin qu'elles prennent nos mesures pour nous confectionner de très belles robes de couronnement ?

Rolf fit une courbette de manière théâtrale, faisant signe à Celie et Lilah de l'accompagner.

— J'ai déjà eu ma séance d'essayage ce matin, déclina Celie.

— Moi non, dit Lilah en se levant et s'étirant. J'étais en bas, j'apaisais la cuisinière. Elle non plus n'était pas au courant pour le couronnement.

Lilah prit le bras de Rolf, mais se retourna vers Celie.

— Veux-tu venir nous tenir compagnie ?

— Pas vraiment, répondit Celie. Je serai avec un garde du corps, ajouta-t-elle, voyant que Lilah fronçait les sourcils.

Trois soldats attendaient dans le couloir derrière la porte de la chambre de Lilah, prêts à les suivre dès qu'ils sortiraient de la pièce. Même le Conseil ne s'était pas opposé à ces mesures de sécurité supplémentaires.

— Je crois que je vais aller un moment à la tour des longues-vues.

— D'accord, accepta Lilah à contrecœur.

— Garde un œil sur Pogue, d'accord ?

Rolf lui enfonça un doigt dans les côtes.

— Assure-toi qu'il ne traîne pas sur le chemin du retour.

— Entendu, promit-elle.

Ils sortirent dans le couloir, et Rolf expliqua leurs plans aux gardes. Deux d'entre eux suivirent Rolf et Lilah vers la droite jusqu'à la salle de couture. L'autre accompagna Celie, qui se rendit effectivement à la tour des longues-vues, laissant le garde au pied de l'étroit escalier, non sans qu'il eût d'abord inspecté la pièce deux fois et vérifié qu'il n'y avait pas d'autres sorties.

Lorsqu'elle arriva dans la petite pièce ronde, Celie s'éclaircit la gorge et caressa l'embrasure de la porte en pierre grise. La pierre était douce et froide, et pourtant il en émanait une certaine sensation voisine d'une douce chaleur.

— Je ne sais pas si tu peux m'entendre, dit-elle avec hésitation. Rolf va être couronné à la fin de la semaine. Il y aura des invités royaux et des nobles. Si tu pouvais s'il te plaît créer des pièces… ou les faire réapparaître, si c'est ainsi que ça fonctionne. Et si tu pouvais nous aider pour le couronnement, je sais que Rolf serait vraiment reconnaissant. Lilah et moi aussi. Pour que les régents sachent que tu veux toujours que Rolf soit le prochain roi.

Une pensée la frappa, et elle fit un pas vers l'avant pour pouvoir appuyer les mains sur la table. Elle regarda autour d'elle dans la pièce, une pièce qu'elle soupçonnait avoir été aménagée pour des raisons qu'elle ne comprenait toujours pas. Le château faisait des choses qu'elle ne pouvait pas saisir. Il semblait aimer certaines personnes, d'autres non.

Ainsi, pourquoi le prince Khelsh était-il toujours là?

Et qu'en était-il de Lulath et du Conseil? Les préparatifs allaient bon train pour le couronnement, et pourtant le château n'avait pas protesté. Il n'avait pas non plus modifié la chambre de ses parents, ni celle de Rolf. Que se passait-il? Le château perdait-il ses pouvoirs?

Cette pensée la fit frissonner, et elle alla se placer contre l'un des murs pour appuyer son visage sur la pierre douce et froide. Elle mit aussi ses paumes sur le mur, et elle y resta un long moment à respirer lentement et à se laisser réconforter par l'énergie des pierres. Elle écoutait, aussi, au cas où le château lui dirait quelque chose. Comme il ne se passait rien, elle demanda simplement :

— Pourquoi ne te débarrasses-tu pas de Khelsh ? L'aimes-tu ? Veux-tu encore que Rolf devienne roi ? Maintenant ? Même si le Conseil lui dicte quoi faire ?

Elle écouta de longues minutes, mais n'entendit rien. En soupirant, elle se décolla du mur et observa la pièce. À sa grande surprise, il y avait une ouverture dans le mur du côté opposé de la pièce. Il y avait aussi une cape noire pliée sur la table, confectionnée d'un tissu épais qu'elle ne connaissait pas.

Celie trembla. Était-ce un rêve, ou la réalité ? Elle toucha la cape avec hésitation. C'était bien une vraie cape, lourde et douce. Qu'est-ce que le château voulait qu'elle en fasse ? Où menait ce passage ?

Elle caressa la cape des doigts jusqu'à ce qu'un oiseau entre par une fenêtre ouverte et la fasse sursauter. Elle prit sa décision.

— D'accord, je vais le faire. Je te fais confiance, annonça-t-elle à la pièce vide.

Celie mit la cape, qui semblait avoir été faite expressément pour elle. Elle essaya de voir si la cape la rendait invisible, mais non, du moins à ses yeux, peut-être pas aux yeux des autres. Étrangement, la cape semblait étouffer les bruits ou les sons produits par Celie. Ses pas ne faisaient entendre aucun bruit, sa robe n'émettait aucun bruissement, ni ses cheveux lorsqu'ils frôlaient ses épaules ; même sa respiration était silencieuse. Elle releva le capuchon pour cacher ses cheveux pâles, puis elle se dirigea vers le nouveau passage, descendit un long escalier en colimaçon vers l'endroit où le château voulait l'amener.

Le passage aboutissait sur un mur dénudé muni d'une longue ouverture mince et horizontale — un judas — à la hauteur des yeux de Celie. Elle regarda par le trou et vit un genre de mince tissu qui voilait légèrement l'autre extrémité du judas de l'autre côté du mur. Elle comprit qu'elle regardait au travers d'une tapisserie quelconque, mais laquelle? Il n'y avait personne dans la pièce, qu'elle ne reconnaissait d'ailleurs pas.

C'était une grande pièce, très impersonnelle. Il y avait une table ronde et des chaises aux longs dossiers, des tapisseries sur les murs, et quelques petites tables dans les coins, sur lesquelles reposaient des chandelles, des livres et divers autres objets. Était-ce une nouvelle pièce pour l'un des invités? Elle ne pouvait pas en être sûre. Elle essaya de voir si les livres étaient en vhervhinois ou en grathien, mais ils étaient trop éloignés, ou placés de manière à ce qu'elle ne puisse lire les couvertures.

Dans cette même pièce, à l'opposé du mur du judas, une porte s'ouvrit, et des hommes vêtus de noir commencèrent à entrer, précédés de l'émissaire. Le Conseil! Elle espionnait dans le bureau privé du Conseil. Même le père de Celie, le roi, n'y était pas admis! Son cœur commença à battre la chamade, mais elle était soulagée que sa cape dissimule les bruits.

Elle en fut encore plus reconnaissante lorsque le prince Khelsh entra dans la pièce et qu'elle ne put s'empêcher d'échapper un petit cri. Qu'est-ce que Khelsh faisait là? Elle appuya son visage le plus près possible du mur, sans s'écraser le nez, et continua d'observer, à la fois fâchée, nerveuse et effrayée.

Khelsh ferma la porte derrière lui et fit signe aux conseillers de s'asseoir, agissant comme s'il était leur chef. Celie grinça des dents et essaya de rester calme.

— Maintenant vous vous assoyez, ordonna brutalement Khelsh.

— Oui, merci, l'appuya sèchement l'émissaire. Je suis d'accord avec le prince Khelsh : allons droit au but !

Il parlait de manière à faire passer les mots rudement accentués de Khelsh pour le summum de la courtoise.

— Nous devons signer l'accord faisant de Son Altesse le quatorzième membre du Conseil royal de Sleyne, et donc régent du prince Rolf.

À ce moment, le château lui-même sembla frissonner, et Celie mit ses mains à plat sur le mur devant elle, essayant de l'apaiser malgré sa propre anxiété.

— Ne devrions-nous pas d'abord en faire part à Son Altesse, le prince Rolf ? s'informa le seigneur Sefton.

Celie se demanda s'il s'avérerait un allié.

— Mon cher Sefton, expliqua l'émissaire. Nous parlons de trahison. Nous n'allons évidemment pas en informer le prince Rolf. Il le découvrira après son couronnement, à sa première réunion avec l'ensemble du Conseil.

— Mais ce n'est pas vraiment une trahison, protesta Sefton. Nous essayons seulement d'aider Rolf à gouverner du mieux qu'il peut.

Le prince Khelsh et l'émissaire échangèrent un regard et se mirent à rire.

— Assez d'hilarité, coupa soudain l'émissaire, une expression de dégoût au visage. Allez, chacun, signez l'entente pour que nous puissions passer aux autres points à l'ordre du jour.

— L'autre entente ? dit Khelsh d'une voix froide. Vous devez aussi signer.

— Pour celle-là, nous aurons besoin de la signature du prince Rolf, lorsqu'il sera roi, précisa le seigneur Feen.

— Vous ne l'aviez pas dit.

Le cou du prince Khelsh se gonfla de la même manière que la fois précédente dans la salle du trône. Il avait la peau très pâle, comme la majorité des Vhervhinois, ce qui laissait voir toutes ses veines et montées de sang, l'empêchant ainsi de cacher ses émotions. Celie espérait ardemment que le sang qu'elle voyait battre aux tempes du prince lui cause un genre d'attaque.

Khelsh trempa la plume dans la petite bouteille d'encre et fit un gribouillis nerveux en guise de signature. Il laissa tomber la plume sur la feuille et observa attentivement l'émissaire.

— Vous ferez signer le petit prince à la noix lorsqu'il sera roi ? demanda Khelsh.

— Bien sûr que nous le ferons, confirma l'émissaire d'un ton rassurant. Le prince Rolf n'aura d'autre choix que d'être d'accord. Il aura besoin d'un héritier — tous les rois doivent en désigner un immédiatement après leur intronisation —, et le Conseil l'aidera à en choisir un. Il est jeune et naïf : il comprendra rapidement qu'il n'a pas le pouvoir de s'objecter, si tant est qu'il décidait de s'objecter.

» Et d'ici la fin du mois, mon cher prince Khelsh, vous serez le prince héritier de Sleyne.

94

Chapitre 11

— Dorénavant, nous ne pourrons parler librement qu'ici, dit Rolf.

Son visage était si blême et si tendu que Celie crut qu'il allait s'évanouir.

— Comment nous y prendrons-nous pour nous informer l'un l'autre de la nécessité d'une rencontre ? demanda Celie.

De ses doigts tremblants, elle pliait et repliait sans cesse l'épaisse cape.

Lilah, accaparant la longue-vue qui donnait vers le sud, observait nerveusement les environs en ajustant constamment les lentilles. Elle espérait sans doute un signe de Pogue, de leurs parents ou de n'importe qui d'autre en mesure de les aider, se dit Celie.

Les trois enfants étaient dans la tour des longues-vues. Celie, qui avait fait venir son frère et sa sœur dans la pièce après avoir espionné le Conseil, leur avait raconté tout ce qu'elle avait entendu. Ils étaient stupéfaits et horrifiés, tout comme elle, et elle était très reconnaissante qu'ils lui fassent confiance, ainsi qu'au château. Elle ne savait pas ce qu'elle aurait fait s'ils avaient pensé qu'elle mentait ou qu'elle racontait des histoires pour obtenir de l'attention.

— Tu n'auras qu'à mettre un mouchoir dans ta manche, en prenant soin d'en laisser dépasser un bout, suggéra Lilah.

Celie et Rolf la regardèrent, un peu surpris de sa rapidité à trouver une solution. Lilah rougit.

— Mère m'a dit que Père et elle faisaient ainsi lorsqu'ils étaient fiancés et qu'ils voulaient... se voir en privé.

— Si jamais je vois Pogue avec un mouchoir dans sa manche..., menaça Rolf.

— Eh bien, ce sera bientôt le cas, le défia Lilah. Nous devrons l'intégrer dans notre manège dès son retour.

Elle regarda nerveusement dans la lunette d'approche.

— Il y a si peu de personnes à qui nous pouvons faire confiance...

— Il y a Madame la gouvernante, dit Celie. Je ne crois pas que nous devons la mettre au courant pour cette pièce, mais elle nous aidera. Et la cuisinière. Et la plupart des domestiques, je crois.

— Et le sergent Avery, ajouta Rolf.

— Pouvons-nous en être certains ?

Lilah tournait et retournait la longue-vue dans tous les sens.

— Il y a aussi le seigneur Feen, qui était le conseiller de notre grand-père! Et l'émissaire aux territoires étrangers! Il a toujours été si gentil! Te souviens-tu, Celie? Il nous rapportait des bonbons et des cadeaux à ses retours de voyage.

Celie hocha la tête, mais Rolf fit un petit sourire cynique.

— N'était-ce pas là son travail? fit-il remarquer. Ces cadeaux lui avaient probablement été donnés par des rois d'autres pays, mais il s'en attribuait le mérite. Je ne l'ai jamais aimé.

— Donc, un mouchoir dans la manche signifie que nous nous rencontrerons ici, répéta Lilah, après qu'ils eurent réfléchi un instant au commentaire de Rolf. Et devrons-nous cesser nos activités immédiatement et nous rencontrer sur-le-champ? Ou devrions-nous nous rencontrer régulièrement à un moment précis?

— À minuit, trancha Rolf. Mais si c'est plus urgent, mettez le mouchoir dans votre manche gauche. Compris? La manche droite, c'est à minuit; la manche gauche, dès que possible.

— Qu'est-ce qu'on fait si on n'arrive pas à trouver l'escalier qui mène ici?

Lilah prit un mouchoir, le poussa dans sa manche gauche, puis le ressortit.

— Nous pourrions chercher des heures durant. Habituellement, seule Celie peut le trouver.

— Ne vous inquiétez pas, les rassura Celie en caressant l'un des murs. Château, nous avons besoin de ton aide. Lorsque nous devrons nous rencontrer, s'il te plaît, aide Lilah, Rolf et Pogue à trouver la pièce sans moi.

Celie n'était pas certaine, mais elle crut que les pierres du mur s'étaient réchauffées sous ses doigts.

— Je crois que ça devrait fonctionner, confirma-t-elle.

— Vraiment? demanda Rolf, les yeux écarquillés.

— Si ça ne marche pas, nous pourrons nous rencontrer dans la chambre de Celie, décida Lilah. Nous pouvons normalement la trouver, et l'un d'entre nous pourra guider Pogue s'il n'y arrive pas.

— En supposant qu'il revienne à temps pour être utile, rappela Rolf à Lilah.

— Je suis certaine que oui, dit loyalement Celie.

— Mais, dans l'intervalle, que devons-nous faire?

Le visage de Rolf était à peine moins tendu.

— Ne signe pas l'entente, proposa Celie. Si tu dois nommer un héritier, nomme Lilah ou moi. Ou le seigneur Wellen, le conseiller aux affaires agricoles. Il a toujours été si gentil…

Elle laissa sa phrase en suspens, ne sachant plus si les personnes qu'elle avait un jour trouvées gentilles étaient devenues des traîtres.

— Wellen semble quelqu'un de bien, convint Rolf. Et c'est un cousin au deuxième degré; il a donc plus de chances que Khelsh, qui n'est même pas de Sleyne! À tout le moins, je pourrais peut-être désigner Wellen pour gagner du temps.

— Ne fais pas semblant d'être surpris lorsqu'ils annonceront que Khelsh est membre du Conseil, l'enjoignit Lilah. Hoche la tête comme si tu t'y attendais.

Rolf et Celie la regardèrent avec curiosité.

— Ils seront confus. Et probablement contrariés, dit Lilah, qui poursuivit ses explications. Ils s'attendent à ce que tu boudes et fasses des enfantillages, Rolf. Ils veulent que tu prouves que tu ne peux gouverner seul. Mais si tu montres à tous à quel point tu peux être digne et… royal, les gens demanderont pourquoi tu as besoin d'une régence. Khelsh n'est pas populaire, *et* il est Vhervhinois. Je n'arrive pas à croire que cette nomination ne soulèvera pas un tollé chez le peuple. Nous n'aurons pas à lever le petit doigt pour protester ; laissons les autres le faire à notre place !

Elle leva le poing triomphalement.

— Et par la suite, si je commence à manifester publiquement mon désaccord avec le Conseil, dit lentement Rolf, ou si j'ai l'air abasourdi à cause de ce qu'ils font, les gens seront plus enclins à considérer ma vision des choses.

— Oui et, au moment opportun, tu dévoileras que la régence est mauvaise, qu'ils essaient de renverser le trône ou de le donner à Khelsh, ajouta Celie. À ce moment-là, tous seront prêts à te soutenir !

— Le plan va fonctionner, dit Lilah avec conviction en serrant Rolf dans ses bras. Il doit fonctionner !

— En combien de temps, crois-tu ?

Celie regarda son frère et sa sœur, se demandant combien de jours ils auraient à vivre avec cette tension.

Le visage de Rolf se crispa de nouveau, et ses yeux s'égarèrent.

— Eh bien, dit-il. Espérons seulement que ça ne prenne pas 10 ans.

Lilah éclata de rire.

— Si c'est le cas, nous nous débarrasserons du Conseil lorsque tu seras assez vieux pour gouverner seul, et nous remplacerons ses membres par des conseillers fidèles.

— S'ils me laissent la vie sauve assez longtemps, murmura Rolf. Je prédis que, lorsque Khelsh sera bien installé dans notre pays, ils se débarrasseront tout simplement de moi, puis couronneront Khelsh qui deviendra le roi Malicieux LXXXI (c'est-à-dire le quatre-vingt-unième du nom).

Chapitre 12

— Rolf Edward Daric Bryce, fils du regretté roi Malicieux LXXIX, vous êtes devant cette assemblée à titre de prince prétendant, débita l'évêque. Vous aspirez à la couronne et au sceptre des rois qui vous ont précédé, vous aspirez aussi à régner sur le château Malicieux, en tant que gardien de cette enceinte magique, et à gouverner tout le royaume de Sleyne.

Le nez de Celie lui démangeait. Probablement à cause de l'encens.

Vêtue d'une nouvelle robe de satin doré, elle se tenait derrière l'évêque, un encensoir à la main. Également vêtue de satin doré, Lilah se tenait à côté de sa sœur et avait en main un rameau d'olivier, trempé dans de l'eau de pluie, qu'elle avait agité au-dessus de la tête de Rolf au début de la cérémonie. Celie avait pour tâche de balancer occasionnellement l'encensoir de manière à bien répartir la fumée, qui la faisait tousser dès qu'elle atteignait ses narines.

L'évêque lui lançait un regard noir chaque fois qu'elle toussait. Elle portait une robe si raide qu'elle aurait pu se tenir d'elle-même toute seule, jurait Celie qui devait également se restreindre à prendre de petites inspirations en raison de sa ceinture écarlate trop serrée. Bref, aux yeux de Celie, ce début de règne n'augurait rien de bon pour Rolf dans son rôle de roi Malicieux LXXX.

Évidemment, il n'était pas le roi Malicieux LXXX, pas encore.

— Vous êtes agenouillé ici par désir d'exercer la royauté, de régner sur Sleyne et d'être dirigé par ce vaste château doté de pouvoirs magiques grandioses et mystérieux. Marcherez-vous dans ses salles en étant attentif à ses caprices qui sauront vous guider dans vos décisions pour le bien de votre peuple ?

— Oui, je le ferai, répondit Rolf.

— Vivrez-vous chaque jour pour le bien de Sleyne, de son territoire, de ses animaux et de son peuple ?

— Oui, je le ferai, répéta Rolf.

L'évêque, l'air revêche, fit un signe de la main à l'intention de Celie, qui se dépêcha de balancer à nouveau l'encensoir, heurtant presque le genou de Lilah avec la cassolette de cuivre. Le regard de Celie croisa celui de Rolf, qui lui fit un clin d'œil tout en esquissant un sourire. Celie le lui rendit, au déplaisir de l'évêque.

— S'il y a le moindre doute dans votre cœur que vous ne puissiez accepter la couronne et le sceptre de Sleyne, dit l'évêque alors que la cérémonie tirait à sa fin, veuillez nous en faire part maintenant !

Rolf devait répondre : « Je n'ai aucun doute. »
Mais il ne le fit pas. Il leva plutôt la tête et dit très
clairement :

— S'il y avait le moindre doute dans mon cœur, le
château le manifesterait. Et si je n'avais pas les qualités
requises pour assumer la charge de roi, le château
m'aurait rejeté. Mais, puisqu'il ne l'a pas fait, j'accepte la
couronne et le sceptre que le château Malicieux m'a gra-
cieusement accordés.

Il y eut un lourd silence dans la pièce. Celie balança
vigoureusement l'encensoir pour se retenir d'applaudir.
L'évêque avait rapidement troqué son air scandalisé
contre un air pensif, et il prit la couronne sans hésitation
pour la placer sur la tête de Rolf. La couronne glissa
quelque peu (on n'avait pas eu le temps de demander à
un joaillier de la rapetisser), mais elle parvint à rester au-
dessus des sourcils de Rolf, lui donnant un air solennel.
L'évêque lui tendit ensuite le sceptre. Rolf embrassa le
pommeau recouvert de pierres précieuses et le pressa
contre son cœur, conformément aux instructions qui lui
avaient préalablement été données.

— En cette pièce, en ce jour, je vous nomme roi
Malicieux LXXX. Régnez sagement, et comme il se doit,
déclara solennellement l'évêque.

Rolf se leva, inclina la tête vers l'évêque une dernière
fois, puis il se tourna face à ses sujets. Il leva le sceptre, et
l'assemblée applaudit.

Celie et Lilah applaudirent aussi et sourirent. Des
larmes coulaient sur les joues de Lilah, et Celie fut surprise de constater après un certain moment qu'elle pleurait elle aussi. C'était magnifique de voir la durée et

l'intensité de ces applaudissements ; les gens étaient debout, les hommes lançaient leurs chapeaux dans les airs.

Deux pages prirent l'encens et le rameau d'olivier des mains de Celie et Lilah, puis ces dernières suivirent Rolf le long de l'allée jusque dans la cour inondée de soleil. Il y avait tant de personnes qu'on aurait dit que tout Sleyne s'y était rassemblé. Il y avait des citoyens jusque sur les remparts, d'autres aux fenêtres qui donnaient sur la cour. Ils arboraient un large sourire et applaudissaient à tout rompre. Rolf les salua, et tous lui rendirent son salut. On entendait la foule scander des mots d'admiration.

— Que disent-ils ? chuchota Lilah à Celie sans remuer les lèvres.

C'était un talent dont Celie était profondément jalouse.

— Quatre-vingts, répondit Celie.

En effet, toutes les personnes présentes dans la cour criaient d'une seule voix : « Quatre-vingts, quatre-vingts, quatre-vingts ! » Celie en était cependant un peu attristée : désormais, même si la famille allait continuer d'appeler Rolf par son prénom, tous les autres l'appelleraient Malicieux LXXX. Celie se demanda si son frère avait l'impression de ne plus être lui-même, maintenant que son nom avait changé. Son père avait-il vécu le même sentiment ?

Si ses parents revenaient, Rolf redeviendrait-il Rolf ? Devraient-ils le découronner ? Elle supposa que Rolf ne serait pas déçu ; ce serait probablement un soulagement. Elle savait qu'elle se sentirait mieux, qu'elle dormirait mieux, une fois ses parents revenus.

— Et ils reviendront, se dit-elle à voix basse.

Rolf leva les mains pour demander le silence, et il attendit en souriant jusqu'à ce que les derniers cris s'évanouissent.

— Merci, dit-il, et ce mot résonna clairement dans toute la cour, gracieuseté du château. Ça me fait chaud au cœur que mon peuple m'accueille de si belle façon.

Une autre salve d'applaudissements retentit.

— Je crois bien qu'un festin nous attend juste à l'extérieur du portail !

Les applaudissements étaient assourdissants, une clameur indescriptible. Lilah avait organisé l'événement plus tôt dans la semaine avec la cuisinière, qui elle-même avait embauché toute personne sachant tourner une broche ou pétrir le pain, afin de pouvoir offrir de la nourriture à tous ceux et celles qui souhaitaient assister au couronnement, du prince Lulath de Grath aux bergers des villages.

— Qu'est-ce que c'est ? demanda l'émissaire qui s'était éloigné d'un groupe de nobles. Je ne savais pas qu'il y avait un festin pour les paysans.

Il arborait un large sourire, très faux.

— Tout va bien, répondit Rolf avec désinvolture. Je me suis arrangé avec les domestiques il y a quelque temps.

— À l'avenir, vous devrez nous informer de ces petits caprices, lui rétorqua l'émissaire.

Il avait un ton condescendant qui donna envie à Celie de lui donner un coup de pied dans les tibias.

Rolf fit un signe de tête évasif, puis se tourna de nouveau vers la foule en délire. Il leva les mains pour redemander le silence, puis il entreprit de dire : « Et maintenant, que le fes… », mais l'émissaire l'interrompit.

— Pardonnez-moi, Votre Majesté, dit-il à voix haute.

Celie remarqua que seules les premières rangées pouvaient l'entendre, étant donné que le château n'amplifiait pas sa voix, contrairement à celle de Rolf.

— Une annonce de plus doit être faite.

Il se rendit auprès de Rolf, forçant Celie à s'écarter du chemin. Elle se colla au côté de Lilah, redoutant ce qui allait suivre. Ils s'étaient demandé à quel moment le Conseil ferait son annonce. Rolf avait soupçonné qu'elle aurait lieu après le couronnement, si rien d'officiel n'avait été communiqué auparavant. Mais de le faire maintenant, alors que tous applaudissaient Rolf…

— À titre de membre du Conseil royal de Sleyne, j'ai quelque chose à vous annoncer, commença l'émissaire.

Comme le château n'amplifiait toujours pas sa voix, les personnes présentes commencèrent à chuchoter, essayant de faire circuler son message, créant ainsi une onde sonore dans la cour.

— Le Conseil a jugé que Son Altesse… Sa Majesté, c'est-à-dire le roi Malicieux LXXX, est trop jeune pour gouverner seul. Dans ces temps incertains, alors que notre roi Malicieux LXXIX bien-aimé a pu être attaqué et tué à l'intérieur même de nos frontières, nous avons besoin de toute la sagesse nécessaire pour nous guider. En conséquence, jusqu'à ce qu'il atteigne l'âge adulte, les membres du Conseil royal seront les régents du roi Malicieux. Et au sein du Conseil, afin de guider le roi, principalement en matière de diplomatie étrangère, nous accueillons notre nouveau membre, le prince Khelsh de Vhervhine !

Il prononça ce dernier nom dans un élan joyeux, comme s'il s'attendait à ce que l'assemblée s'exclame d'enthousiasme.

Il n'y eut plutôt que les murmures des personnes relayant l'information. Les visages souriants, qui illuminaient d'espoir et de joie ceux et celles qui s'étaient massés pour voir sortir Rolf sur le haut des marches du château, étaient maintenant devenus sombres et confus. Tous et chacun essayaient de comprendre le motif de cette annonce.

— Merci, Seigneur émissaire, dit Rolf.

Celie était fière qu'il n'y ait qu'une infime trace d'amertume dans sa voix.

Il s'adressa de nouveau à la foule :

— Il y a tant de choses dont nous pourrions discuter, déclara-t-il.

Celie sourit, car le château transmettait ses paroles jusqu'aux remparts.

— Mais nous le ferons en profitant du festin !

Les applaudissements furent au mieux inégaux et se terminèrent rapidement. La foule se dispersa tandis que Rolf, en se retournant, plaça son sceptre dans le creux de son bras droit, avant de tendre le gauche à Lilah. Celle-ci le saisit, et Celie alla rapidement se placer à droite de Rolf, aussi près de lui qu'elle le pouvait, sans se cogner contre le sceptre orné de pierres précieuses qui dépassait de son coude.

— Passons par l'arrière pour nous rendre à la salle du banquet, mes chères sœurs, leur dit-il. C'est tellement plus rapide que de nous frayer un chemin dans la foule de la cour.

Il les guida dans l'abside qui menait à la porte arrière de la chapelle.

— Votre Majesté !

Maintenant que les pages fermaient les énormes portes, le sourire de l'émissaire avait disparu.

— Oui, Seigneur ?

Rolf regarda par-dessus son épaule avec une expression douce, mais il continua de marcher calmement vers le fond.

— Il y a beaucoup à discuter.

— Comment ça ?

Les sourcils de Rolf touchaient sa couronne.

— J'ai été couronné, vous avez fait l'annonce. C'est maintenant l'heure du festin !

— Mais... n'avez-vous rien à me dire ?

L'émissaire, comprit Celie d'un rire qu'elle réussit à réprimer, était décontenancé et peut-être même offusqué que Rolf ne soit pas fâché. Il avait probablement espéré que Rolf crie et argumente à propos de la nomination du prince Khelsh, mais Rolf n'avait même pas cligné des yeux. Celie serra très doucement le bras de Rolf, juste au-dessus du coude, et il lui fit un petit clin d'œil.

— Pas pour l'instant, déclina Rolf, l'air légèrement perplexe.

— Bon... mais... j'aurais plutôt cru que vous auriez quelque chose à souligner à propos du prince Khelsh, bredouilla l'émissaire.

— Pas du tout, répondit nonchalamment Rolf. Il est un peu vantard, mais, vraiment, c'est ce à quoi on s'attend de la part d'un prince vhervhinois, non ?

— Mais... vous n'êtes pas surpris de sa nomination?

Rolf se mit à rire.

— Oh, mon émissaire!

Il secoua la tête.

— Je suis au courant depuis des jours!

Ils venaient d'arriver à la petite porte au fond, l'émissaire à la traîne, l'air dérouté, tandis que l'évêque les observait de la nef. Celui-ci affichait un air perspicace, et Celie lui fit un signe de la main avec enthousiasme. En guise de réponse, il souleva un sourcil.

— Allons voir le festin somptueux que la cuisinière a préparé pour nous, suggéra Rolf à ses sœurs.

Il lança un regard interrogatif à l'émissaire.

— Allez-vous dans la même direction, Seigneur?

— N-non... je dois m'occuper de certaines affaires, répondit l'émissaire.

— D'accord, mais essayez de ne pas rater le banquet au complet, le prévint Rolf. Les gens vont parler, c'est-à-dire encore plus que maintenant, si mes régents ne sont pas présents pour me montrer leur soutien.

Il regarda, derrière l'émissaire, les gardes du corps qui les avaient aussi suivis, silencieusement et passant presque inaperçus malgré leur taille et leurs armes étincelantes.

— Venez avec nous, messieurs, les invita Rolf.

L'émissaire, qui paraissait toujours aussi déconfit, dut faire rapidement un pas de côté, car les trois gardes le repoussèrent presque pour suivre Rolf et les deux princesses. Blaine, le garde affecté à Celie, vit qu'elle tirait plaisir de la situation, et il lui fit un sourire discret. Il tint la porte que venait d'ouvrir Rolf.

— Vous d'abord, Votre Majesté, Vos Altesses, dit Blaine en faisant un grand geste du bras pour les inviter à passer.

— Affamées, mes sœurs royales ? demanda Rolf d'un ton aristocratique. Sa Majesté mangerait bien du bœuf doré.

— Et moi aussi, mon frère on ne peut plus royal, répondit Celie.

— Alors, que le festin commence !

Chapitre 13

— J'ai adoré l'expression de l'émissaire, lança Celie dans un soupir joyeux.

L'aube était proche. La jeune fille était allongée sur la carpette sous la table de la tour des longues-vues, les mains sur le ventre. Le festin avait effectivement été grandiose. Elle en avait presque fendu sa robe après quatre heures passées à manger. Les serveurs et serveuses avaient apporté plat après plat, suscitant applaudissements et admiration.

Lorsque les paons, une fois rôtis et parés de leurs plumes remises en place, furent apportés sur des plateaux d'or, Rolf se leva, insista pour qu'on amène la cuisinière, et il lui porta un toast. Elle rougit comme une jeune fille et se tordit les mains dans son tablier. Rolf avait rapidement enlevé les plumes de l'oiseau qui lui avait été servi et il les avait offertes à la cuisinière, qui fit une révérence avant de retourner à la cuisine en gloussant de joie. Les plumes, Celie le savait, valaient chacune un mark d'or. Il s'agissait d'une récompense attentionnée pour le dur labeur de la cuisinière. Après le repas, Lilah et sa sœur étaient allées avec Rolf et plusieurs gardes se promener parmi les roturiers sur les pelouses devant le château, saluant les gens de la tête, adressant des sourires et partageant ici un verre de cidre, là un morceau de gâteau.

Tous et chacun posaient d'interminables questions à propos de la régence.

Le trio s'y attendait et avait préparé à cet effet une réponse prudente : Rolf était très jeune et, comme les enfants étaient tous sous le choc du destin tragique de leurs parents et de leur frère, le Conseil avait bien fait de prendre cette initiative.

C'était tout ce qu'ils répondaient, indépendamment de l'insistance des gens. Rolf avait passé les derniers jours à élaborer cette réponse. Il voulait être poli et afficher une attitude exemplaire, tel qu'ils avaient convenu. Mais il désirait aussi laisser entendre qu'il s'agissait d'une décision du Conseil et éviter de dire que leurs parents et Bran étaient morts. La stratégie semblait fonctionner : les murmures et les questions continuaient même après la réponse de Rolf. Les enfants royaux surent ainsi que le peuple était mal à l'aise avec la régence et la remettait en question.

— L'expression de l'émissaire ?

Lilah bâilla et, faisant fi de sa grâce habituelle, s'écroula dans l'une des chaises.

— Lorsque Rolf a dit qu'il était au courant de la nomination depuis des jours, précisa Celie. Tout un choc… tu as ruiné la terrible surprise qu'il avait planifiée, Rolf !

— Effectivement ! acquiesça Rolf.

Il déposa la couronne sur la table et se frotta le front.

— C'était mon idée, souligna Lilah.

— Oui, et elle s'est avérée capitale ! dit Rolf avec enthousiasme. Je n'étais pas sûr de la manière dont j'allais procéder mais, lorsqu'il s'est présenté à l'avant et que j'ai vu qu'il allait faire l'annonce à ce moment précis, j'ai décidé de plonger, tout simplement. C'était formidable de le voir en état de choc ! Il va croire qu'il y a un espion parmi les membres du Conseil, ou à tout le moins un sympathisant. Si nous arrivons à connaître leurs plans avant qu'ils ne les mettent à exécution, ils seront déstabilisés.

— Génial, ajouta joyeusement Celie.

— Oui, mais même si ce fut un coup dur pour lui d'apprendre que la nomination de Khelsh ne constituait pas une surprise, fit remarquer Lilah, le problème sera de continuer à suivre de près tous ces gens. Comment pourrons-nous connaître leurs prochaines intentions ? Le château continuera-t-il de nous informer ? Nous ou Celie ?

— Bien sûr que si, dit Celie tendrement, tout en caressant le plancher à côté d'elle. N'est-ce pas, mon cher ?

Celie était maintenant convaincue que le château n'était pas que magique, mais vivant, et résolument du côté des enfants.

Elle crut sentir un frémissement sous sa main, comme si le château ronronnait.

— De quoi le château est-il fait, selon vous? demanda Celie, qui sentit ses paupières s'alourdir.

La journée avait été longue et excitante, et elle souhaitait maintenant se mettre au lit et dormir des jours durant.

— De pierre, répondit Rolf. De quoi d'autre, sinon?

Il se retourna et donna une pichenette sur l'épaule de Celie.

— Je crois qu'il est temps que tu ailles te coucher.

Celie lui fit une grimace.

— Je voulais dire : «Qu'est-ce qui rend le château si spécial? Comment fait-il toutes ces choses fabuleuses? Est-il vivant? A-t-il été construit par un sorcier?»

— Tout le monde spécule à ce sujet depuis des siècles, répondit Lilah, mais personne n'a réussi à le découvrir.

— Je sais tout ça... mais je me le demande quand même, poursuivit Celie.

— Si le château devait jamais dévoiler ses secrets à qui que ce soit, je crois que ce serait à toi, déclara Rolf en se penchant pour saisir la cheville de Celie. Allez, viens, mon endormie, tu ferais mieux d'aller au lit. C'est presque l'heure du petit déjeuner.

— Oh, ne parle pas de nourriture, grogna Celie. Je pourrais être malade.

— Pogue! s'écria Lilah.

— Non, moi c'est Rolf, la reprit son frère avec un regard perplexe.

— Non, j'aperçois Pogue, clarifia Lilah.

Elle avait la voix pleine d'émotion, un œil collé sur la longue-vue dans laquelle elle observait depuis un bon moment.

— Et il arrive à toute vitesse.

Rolf traversa la pièce en deux enjambées, et Celie se leva de sa carpette.

— En es-tu certaine?

Rolf mit une main sur la lunette, et Lilah recula d'un pas pour le laisser regarder.

— C'est bien lui!

Il zieuta par la fenêtre au-dessus de la longue-vue de cuivre, observant attentivement la route qui partait du château.

— Cette longue-vue permet de voir beaucoup plus loin que toutes celles que j'ai utilisées auparavant. Il se trouve bien au-delà du village.

Lilah lui lança un regard dégoûté.

— Tu viens à peine de dire à Celie que le château est magique et mystérieux, ce que nous savions tous, et maintenant une *longue-vue* t'impressionne?

Elle le poussa du coude et observa de nouveau par la lunette.

— Je veux jeter un coup d'œil, annonça Celie.

Lilah se déplaça à contrecœur.

C'était bien Pogue, mais il était en effet à une bonne distance. Son cheval arrivait tout juste dans la vallée, et pourtant Celie pouvait le voir clairement par la longue-vue. Le garçon était penché sur le cou de son cheval qui galopait à toute allure malgré la faible luminosité de l'aube naissante. L'animal était noir de sueur. Pogue, les vêtements sales, avait l'air épuisé par le voyage.

— Crois-tu qu'il a de mauvaises nouvelles?

Celie fit un pas en arrière et laissa Lilah regarder à nouveau.

— Je ne sais pas, répondit Lilah, inquiète.

— Nous le saurons rapidement, dit posément Rolf. Il sera bientôt ici.

Il fit une pause et lorgna par la fenêtre encore une fois.

— Du moins, si son cheval réussit à se rendre : la pauvre bête a l'air de vouloir s'écrouler.

— Devrions-nous partir à sa rencontre ? dit Celie, dont le regard exprimait l'envie d'agir.

— D'ici à ce que nous ayons trouvé une escorte, que tous aient préparé leur monture et soient prêts à partir, il sera au portail, dit Rolf en faisant non de la tête. Je vais descendre à ma chambre me mettre des vêtements propres, m'asperger le visage et me préparer à l'accueillir à la porte. Vous devriez faire de même. Je ne crois pas que nous puissions nous coucher de sitôt.

Ils descendirent les escaliers pour aller se changer. Dans le cas de Celie, cela signifiait revêtir sa robe noire à la ceinture violette. Ce vêtement bruissait lorsque Celie marchait et il lui donnait l'impression d'être tout à fait adulte, bien qu'elle fût un peu déprimée que sa première robe de jeune femme ait été conçue pour des funérailles. Elle se lava le visage, et, lorsque Lilah fut prête, cette dernière lui tressa les cheveux et lui épingla la tresse sur la tête comme une couronne. Elles se rendirent dans la cour bras dessus bras dessous, où elles rejoignirent Rolf.

— Juste à temps, dit-il, pointant du menton le portail principal.

Les gardes étaient en train de héler quelqu'un et, après un moment, ils laissèrent entrer un cavalier solitaire. C'était Pogue, sur son cheval exténué et en sueur. L'animal avança péniblement jusqu'au centre de la cour, puis s'arrêta, les pattes complètement écartées, respirant fortement, la tête penchée. Il ne bougea plus.

— Pogue! Ça va?

Lilah courut vers lui, avec Celie et Rolf sur les talons.

Pogue posa sur Lilah ses yeux injectés de sang. Il avait les cheveux dressés sur la tête et le visage couvert de sueur et de poussière. Pendant un moment, il sembla faire de lourds efforts pour parvenir à la reconnaître, et il chancela un peu sur sa selle.

— Delilah?

Il se secoua à la manière d'un chien et s'éclaircit la gorge.

— Lilah, Rolf!

Il descendit du cheval, semblant puiser son énergie d'une source inconnue.

— Ils sont vivants!

— Quoi!

Lilah tituba vers l'arrière, et Rolf l'attrapa par la taille avant qu'elle ne tombe.

— Maman et papa?

Celie courut vers Pogue et l'agrippa par le devant de la tunique.

— Tu as trouvé maman et papa et Bran?

— Pas tout à fait « trouvé », mais ils sont assurément vivants, confirma Pogue en lui tapotant maladroitement les épaules.

— Viens à l'intérieur, le pressa Rolf à voix basse, remettant Lilah sur pied avant d'aller aider Pogue. Prenez soin de son cheval, ordonna-t-il au palefrenier qui leur tournait autour.

— Laissez-moi seulement vous dire…

— Pas ici, l'interrompit Rolf. Pas ici. Beaucoup d'événements se sont produits.

Ils se dépêchèrent de rentrer à l'intérieur du château, si près les uns des autres qu'ils se marchaient sur les pieds. L'émissaire se tenait à l'entrée, un sourire mielleux au visage, mais Rolf le frôla en marmonnant de vagues excuses. Ils se dirigèrent directement à l'escalier étroit de la tour des longues-vues, et, dès qu'ils commencèrent à monter les marches, le mur de pierre se referma derrière eux, coupant court aux protestations de l'émissaire.

— Comment le château a-t-il fait ça ? demanda Pogue ahuri. Quel jour sommes-nous ?

Il se secoua et fit presque demi-tour, mais Rolf le retint par le bras et l'emmena vers le haut.

— Pourrons-nous ressortir ?

— Oui, bien sûr, le rassura Rolf. C'est l'unique pièce du château où nous pouvons être seuls. Nous arrivons habituellement à la trouver, mais la façon la plus simple de s'y rendre est de se faire accompagner de Celie.

— D'accord, convint Pogue, toujours aussi étonné.

— Et le code pour la convocation d'une rencontre, continua Rolf, consiste à mettre un mouchoir dans une manche, la gauche pour une réunion immédiate, la droite pour une rencontre à minuit.

Pogue cligna rapidement des yeux.

— Mais… pourquoi aurions-nous besoin d'un tel signal ? Pourquoi devrions-nous nous rencontrer ici ?

Ils étaient arrivés en haut des escaliers, où Pogue se laissa tomber sur un tabouret, épuisé et confus. Celie, son frère et sa sœur se tenaient debout devant lui. Celie n'avait pas envie de lui expliquer ce qui leur était arrivé *à eux*.

Elle voulait entendre les explications de Pogue immédiatement. Leurs parents et Bran étaient-ils vraiment vivants ?

— Tu ferais mieux de raconter en premier, déclara Rolf.

Un pichet d'eau et une tasse venaient d'apparaître sur la table. Il remplit la tasse pour Pogue et, lorsque le jeune homme eut bu, Rolf la reprit et se mit à la faire rouler entre ses mains.

— Sont-ils en vie ?

— S'il n'en tient qu'aux sorciers, oui, confirma Pogue en s'appuyant contre le mur. Je n'ai rien pu voir moi-même sur les lieux de l'embuscade. Je crains que les pilleurs et les charognards n'aient effacé toute trace du traquenard.

Il grimaça.

— Personne près du site n'en savait davantage que nous. Je me suis donc rendu au Collège de sorcellerie. Ses membres avaient entendu parler des événements, bien sûr, mais la rumeur qui circule en ville était que le cortège royal en entier avait sans aucun doute été tué. Ils n'ont donc naturellement pas eu le réflexe d'essayer de retracer Bran. Je leur ai fait part de nos soupçons, et je suis retourné à l'endroit de l'attaque avec quelques sorciers, continua Pogue. Ils ont inspecté les alentours. Ils ont pratiqué des sortilèges et goûté à de la terre et à l'écorce des arbres.

— Ils ont goûté de la terre et de l'écorce ? s'étonna Celie en fronçant le nez.

— Voilà pourquoi vous ne me verrez jamais au Collège, ajouta Pogue.

Lilah émit un bruit d'impatience. Celie baissa la tête. Pogue, se sentant réprimandé, continua.

— Ils pouvaient deviner l'identité des soldats qui étaient morts — j'avais la liste que vous m'aviez donnée — et ils avaient raison dans tous les cas. Ils savaient que le sergent Avery s'en était tiré. Ils sont ensuite devenus très animés. Ils ont dit que le roi, la reine et Bran étaient assurément vivants! Ils ont quitté les lieux de l'embuscade tout juste avant Avery.

— Toujours vivants?

Le cœur de Celie bourdonnait, tellement il battait vite. Des larmes tombèrent de ses yeux, et elle mit une ou deux minutes à s'en rendre compte. Lilah émit un petit bruit de sanglot, de gémissement, et serra Celie dans ses bras.

— Vivants, murmura Lilah.

Puis elle se cacha le visage dans le cou de Celie et pleura.

— Où sont-ils?

Rolf avait lui aussi les joues mouillées, mais il réussissait tout de même à se tenir droit et grand.

Pogue se frotta derrière le cou.

— Les sorciers ne le savent pas.

— Comment se fait-il? cria Celie les larmes aux yeux. S'ils peuvent savoir quelles étaient les personnes sur place, si elles sont mortes ou vivantes, pourquoi ne peuvent-ils pas remonter jusqu'à maman et papa?

Elle serrait fortement Lilah, et ça lui était égal d'avoir l'air d'une enfant lorsqu'elle appelait ses parents «maman et papa».

— Parce que leur trace s'estompe tout près du site de l'embuscade, lui expliqua Pogue. Elle... disparaît tout simplement. Ils ne peuvent trouver la moindre empreinte, ni localiser leurs auras.

— Mais ce sont des *sorciers* !

Celie refusait d'accepter une réponse aussi ridicule. Des sorciers pouvaient trouver n'importe quoi... des sorciers pouvaient *faire* n'importe quoi ! Ce serait certainement facile pour eux de trouver la trace de quelqu'un, surtout s'ils connaissaient la personne, comme Bran. Il avait vécu avec eux, avait suivi une formation chez eux, durant trois ans !

— Bran est aussi un sorcier, lui rappela Pogue, faisant écho à ses pensées. Ils soupçonnent que c'est par magie, par la magie de Bran, que la trace a été effacée. Les sorciers croient qu'ils se cachent.

— Mais de quoi doivent-ils se cacher ?

Indignée, Celie repoussa doucement Lilah.

— Pourquoi ne reviennent-ils simplement pas à la maison ? S'il n'y a plus de bandits qui rôdent dans la forêt, pourquoi se cacher ?

Sa voix se brisa.

— Nous sommes seuls ici, le Conseil est contre nous, et le prince Khelsh... Les derniers temps ont été terribles !

— Peut-être savent-ils qu'ils seraient maintenant en danger à la maison aussi, suggéra Rolf.

Ils se tournèrent tous vers lui. Rolf regardait fixement par l'une des fenêtres. La lumière matinale donnait des reflets dorés à son visage. Une main crispée devant sa poitrine, la bouche pincée, il avait cessé les plaisanteries et les taquineries.

— Que s'est-il passé ici ? dit Pogue en se redressant sur son tabouret, étudiant Rolf attentivement. Que s'est-il passé depuis mon départ? Pourquoi nous rencontrons-nous en secret dans une pièce cachée?

— Rolf est le roi, lâcha Celie. Le roi Malicieux LXXX.

Pogue cligna des yeux.

— Je croyais que vous attendiez mon rapport. Je suis désolé d'avoir mis autant de temps, mais…

— Rolf n'a-t-il pas expliqué dans son message ce qui allait arriver?

Lilah rapprocha deux tabourets, puis elle assit doucement Celie sur l'un d'eux avant de s'installer sur l'autre.

Rolf resta debout.

— Non. Je lui ai simplement dit de revenir le plus rapidement possible. Je ne voulais pas que le message soit intercepté.

Il se retourna pour faire face à Pogue.

— Le Conseil a décidé que je serais couronné cette semaine… hier, plus précisément. Et que j'avais besoin d'une régence pour me guider pendant mon apprentissage de la royauté. Le Conseil, incluant le prince Khelsh de Vhervhine, forme la nouvelle régence, et je suis leur roi-marionnette jusqu'à ce que Khelsh m'assassine ou que j'atteigne mes 24 ans, selon la première de ces éventualités. Je te laisse deviner laquelle de ces options sourit le plus à Khelsh!

— C'est de la folie! s'exclama Pogue, affligé. Le Conseil peut-il agir ainsi? N'y a-t-il pas un genre de… précédent? Le château a-t-il manifesté sa volonté?

Rolf fit simplement non de la tête.

— Le château est avec nous! s'exclama Celie, piquée par le manque de loyauté de Rolf.

— Je ne dis pas qu'il ne l'est pas, Cel, rectifia rapidement son frère. Mais il n'a pas non plus expulsé les conseillers ni Khelsh...

Les yeux de Pogue s'écarquillèrent.

— Mais si quelque chose arrive à Rolf...

— Nous aurons un roi vhervhinois, compléta Rolf.

Chapitre 14

Avant d'affronter le Conseil, ils songèrent à permettre à Pogue d'aller faire sa toilette et revêtir des vêtements propres, mais Rolf décida que l'effet serait plus dramatique s'il était toujours en sueur et poussiéreux, ce à quoi acquiesça Pogue. Ce dernier avoua aussi, un peu gêné, qu'il avait peur de s'effondrer d'épuisement, en apercevant son lit, s'il rentrait chez lui prendre des vêtements propres. Donc, avec sur leurs talons un Pogue crasseux, ils entrèrent dans la salle du trône. Le prince Khelsh s'y trouvait, ainsi que l'émissaire. Celie leur tira presque la langue tant elle en avait marre de leurs murmures dans les coins et des problèmes qu'ils causaient.

Rolf fit un signe aux gardes du corps qui suivaient les enfants royaux.

— Pourquoi n'attendriez-vous pas ici avec les gardes du prince Khelsh ?

Les hommes prirent position tout juste à l'extérieur de la salle du trône, obligeant les gardes du prince Khelsh à faire de même. Les gardes vhervhinois s'esquivèrent de la salle du trône en lançant des regards noirs et en grommelant.

Celie marcha accidentellement sur le pied d'un garde au passage, ce qui lui fit probablement plus mal à elle qu'à lui puisqu'elle portait une mince pantoufle de cuir, et lui, une grosse botte. Mais il lui décocha un regard surpris, et elle fut en même temps satisfaite de son petit geste de défi. Elle souleva les sourcils, et l'homme baissa la tête en s'excusant de lui avoir obstrué le chemin.

Pogue ferma les portes derrière eux et se croisa les bras. Même s'il n'était pas aussi large que son père, sa posture étirait sa tunique aux épaules, et la poussière zébrée de sueur sur son visage lui donnait un air assurément menaçant.

— J'ai d'excellentes nouvelles, annonça joyeusement Rolf à l'émissaire et au prince Khelsh.

Il monta sur l'estrade et enleva la couronne. Il la déposa sur le siège du trône et se tourna pour faire face au prince et à l'émissaire avec un large sourire.

— Je n'en aurai plus besoin !

— Vous êtes… vous abandonnez la couronne ?

Le prince Khelsh devait faire des efforts pour trouver les bons mots, mais il avait tout de même l'air très intéressé.

— Si j'abdique, vous voulez dire ?

Rolf fit non de la tête.

— Pas du tout. Mais je n'aurai pas besoin de porter la couronne ou de m'asseoir sur le trône *puisque mon père est encore vivant.*

Il mit ses poings sur ses hanches et observa attentivement le prince Khelsh et l'émissaire, comme le faisaient
déjà Celie, Pogue et Lilah.

— Votre Majesté, soupira l'émissaire, nous en avons
déjà parlé. Il y a eu une fouille intensive du site, et c'est
impossible que vos parents soient toujours en vie…

— Selon le Collège de sorcellerie, ils sont bel et bien
vivants, le coupa doucement Rolf en désignant Pogue.
Maître Parry vient d'apporter la nouvelle. Ils ont trouvé
leurs traces qui partaient du site de l'embuscade : Père,
Mère et Bran.

Il sourit encore joyeusement et continua.

— Je vais convoquer le sergent Avery et l'envoyer
faire d'autres recherches à la tête d'un régiment, avec
l'aide des sorciers. Je suis convaincu qu'ensemble ils sauront trouver mes parents et mon frère en un rien de
temps.

Le prince Khelsh et l'émissaire échangèrent un regard.
Celie serra les poings. Elle savait que, si gentils soient-ils,
les propos qui allaient sortir de leurs bouches ne feraient
que cacher de la méchanceté. Elle jeta un coup d'œil en
direction de ses trois camarades, et vit que Pogue avait la
mâchoire crispée et les poings serrés. Rolf s'était mordu
l'intérieur de la lèvre, et Lilah prenait déjà une inspiration pour être prête à rétorquer sèchement.

— Mais, mais, roi Malicieux, commença l'émissaire,
il n'y a pas de raison de s'exciter. Si vous souhaitez
envoyer quelques hommes faire d'autres recherches,
faites-le. Cependant, en tant que l'un de vos régents, et je
suis sûr que le prince Khelsh sera d'accord avec moi, je ne
crois pas qu'il soit raisonnable de faire renaître des
espoirs chez tout un chacun. Sans compter à quel point le

château serait vulnérable en ces moments difficiles si les soldats partaient à la recherche de fantômes dans des buissons.

— Mais vous n'êtes pas mon régent, expliqua de nouveau Rolf. Je ne suis pas le roi. Mon père est encore roi, et nous aurions tous dû le savoir en constatant que le château avait conservé ses quartiers exactement comme ils l'ont toujours été.

La colère de Rolf était décelable dans l'intensité de sa voix. Celie serra les poings plus fort, espérant que son frère ne s'emporte pas. L'émissaire n'en serait que plus satisfait, et le prince Khelsh, plus amusé.

— Vous avez été couronné hier, dit l'émissaire avec un sourire effectivement très méchant, et le prince, le reste du Conseil et moi avons légalement été nommés régents. Si votre père était toujours vivant, pourquoi n'aurait-il envoyé aucun message ni tenté de communiquer avec nous? Plutôt que de laisser le royaume de Sleyne dépérir, faute de chef, nous vous avons couronné. Vous êtes le roi, et le Conseil se doit de surveiller vos actions. Dans le cas qui nous occupe, deux de vos gardiens vous disent qu'il est futile de persister à chercher vos parents.

— Lorsque j'aurai annoncé au peuple que mes parents sont toujours vivants, vous verrez que votre régence sera de très courte durée, de même que votre mandat au sein du Conseil, déclara Rolf, en maîtrisant toujours sa colère.

L'émissaire cessa d'être mielleux.

— Et vous verrez qu'il vous sera très difficile de vous comporter comme un petit garçon irascible une fois vos sœurs enfermées dans la tour des otages, grogna-t-il.

— Fuyez, fuyez!

Pogue saisit Celie et Lilah par les épaules et les poussa vers la porte.

Celie se mit à courir. Les portes de l'arche avaient disparu, laissant les gardes à leur surprise. Celie attrapa la main de Lilah et tira sa grande sœur à travers l'arche. Elles se précipitèrent entre les gardes vers une autre arche qui venait de s'ouvrir à l'extrémité opposée de la grande salle. L'arche se referma derrière elles dans un fracas de pierre, bloquant les gardes qui s'étaient lancés à leur poursuite. Les deux sœurs constatèrent qu'elles étaient arrivées dans la chambre de Celie, qui comportait maintenant deux sorties supplémentaires : une arche donnant sur la chambre de Lilah et l'escalier étroit de la tour des longues-vues.

Celie tourna sur elle-même, observant les changements soudains.

— Comment le château… ceci n'avait jamais…

— Nous n'avons pas le temps, haleta Lilah. Ramasse certaines choses nécessaires et monte à la tour.

— Et Rolf et Pogue?

— Si le château nous aide, je parie qu'il les aidera aussi, répondit Lilah en se dépêchant de traverser l'arche vers sa chambre.

Celie s'efforça d'arrêter d'observer et se mit à réfléchir.

— Je vais aussi apporter mes oreillers et mes couvertures, songea-t-elle.

La peur lui rongeait l'estomac. Elle savait que l'émissaire allait faire quelque chose d'horrible. Ils n'auraient jamais dû laisser Rolf se rendre à la salle du trône. Ils auraient dû simplement prendre des chevaux et se diriger directement vers les montagnes pour se porter eux-mêmes à la recherche de maman et papa. Des larmes coulèrent sur son nez et tombèrent sur les draps.

— As-tu quelque chose à manger dans ta chambre ? demanda Lilah dont la voix lui parvenait par l'ouverture de l'arche. Je n'ai vu que ces affreux biscuits durs dans la tour.

— Non, répondit Celie d'une voix étouffée.

— Qu'est-ce qu'il y a ?

Lilah tendit la tête dans le passage de l'arche. Voyant que Celie pleurait, elle entra dans la chambre.

— Celie, ma chérie, qu'est-ce qui ne va pas ?

— Quand verrons-nous la fin de ce cauchemar ? demanda Celie en se jetant au cou de sa sœur. J'attends toujours et encore que papa franchisse le portail pour faire cesser toutes ces… horreurs, mais il n'arrive pas ! Qu'allons-nous faire maintenant ? N'y a-t-il personne pour nous aider ?

— Je ne sais pas, je ne sais pas, répondit Lilah en mouillant de ses propres larmes les cheveux de Celie. Je ne sais pas, ma puce.

— Ce n'est pas pour m'aider, ce que tu dis là, sanglota Celie.

— Je suis désolée, dit Lilah, riant et pleurant en même temps. Mais écoute-moi, ajouta-t-elle après un moment.

Elle recula afin de pouvoir regarder Celie directement dans les yeux.

— Je sais que tout se terminera bien, et tu sais pourquoi ?

Celie fit non de la tête.

— Parce que nous avons quelque chose que le prince Khelsh et l'émissaire n'ont pas : le château. Le château est avec nous, Celie. Je ne sais pas comment c'est arrivé ou pourquoi ça se produit maintenant, mais le château est de notre côté. Je crois vraiment qu'il t'aime, et j'ai l'impression qu'il m'aime, ainsi que Rolf, maman, papa, Bran, et même Pogue ! Le château va nous aider, et nous allons les battre !

— En es-tu certaine, ou dis-tu seulement ça pour que j'arrête de pleurer ? demanda Celie.

— J'en suis sûre, répondit Lilah en la poussant gentiment. Je sais que Rolf et moi t'avons dit dernièrement certaines choses dans l'unique but de te remonter le moral. Mais, cette fois-ci, c'est différent. Je crois que le château peut nous aider, et je crois que nous allons gagner. Mère, Père et Bran sont en vie, Celie ; je sais maintenant que c'est la vérité. Je n'en étais pas certaine auparavant, mais maintenant oui. Nous devons seulement garder le château jusqu'à ce qu'ils reviennent.

— Garder le château ?

Lilah fit signe que oui.

— C'est à nous de nous assurer que le Conseil ne fasse rien de plus horrible à qui que ce soit. Nous devons nous assurer que Rolf et Pogue se portent bien. Que Khelsh ne renverse pas le trône, que tous et tout dans le château soient en sécurité jusqu'à ce que papa revienne et expulse les membres du Conseil en leur bottant leurs vieux… derrières ridés !

— Lilah !

Celie mit une main sur sa bouche, un peu stupéfaire, puis elle gloussa.

— Tu m'as bien comprise, poursuivit Lilah, avec dans les yeux un regard militant que Celie ne lui avait jamais vu auparavant. Maintenant, ramasse tes choses, et montons à la tour des longues-vues.

Celie empila ses oreillers et plia ses couvertures dans son couvre-lit de velours, et elle attacha le tout comme un énorme baluchon. Ne sachant pas si le château allait fermer en permanence la porte de sa chambre, lorsque Lilah et elle seraient dans la tour, elle lança le baluchon aussi haut que possible dans les marches. Elle retourna prendre sa vieille robe grise, sa chemise de nuit, des sous-vêtements, des chaussettes et des pantoufles, et elle empila le tout dans les marches. Elle prit son atlas, le guide de conversation en vhervhinois, du papier, des plumes et de l'encre. À la dernière minute, elle tira Rufus du fond de son placard.

Rufus était un lion en peluche qui lui avait été offert quand elle était encore bébé. Rolf ayant commencé à la taquiner parce qu'elle dormait encore avec Rufus à huit ans, Celie l'avait rangé au placard à contrecœur. Mais il lui arrivait encore de le sortir lorsqu'elle était seule et qu'elle se sentait triste ou malade. Il était maintenant usé et grisâtre, plutôt que dodu et d'un jaune éclatant, mais Celie l'aimait tout autant. Elle le mit dans son baluchon de literie au moment où Lilah arrivait avec ses effets personnels.

Lilah avait plié et enroulé proprement toutes ses robes dans une cape, et elle transportait sa literie dans un grand panier. Elle fronça les sourcils en voyant le désordre causé par Celie, mais elle ne dit aucun mot.

Dès qu'elles furent toutes deux dans l'escalier, leur fourbi dans les bras, la porte qui menait à la chambre de

Celie disparut derrière elles. Une fois qu'elles furent rendues en haut, l'escalier disparut lui aussi. Les deux sœurs se regardèrent un instant, et Celie crut qu'elle allait se remettre à pleurer.

— Qu'en est-il de Rolf et de Pogue ? demanda-t-elle.

— Nous devons faire confiance au château, répondit simplement Lilah.

Celie hocha la tête et fit de son mieux pour ne pas pleurer. Lilah s'empressa de l'occuper en lui demandant de disposer sa literie d'un côté de la pièce. L'aînée plaça ses choses près de celles de Celie et elle l'aida à étendre ses robes sur l'un des coffres collé contre un autre mur.

Lorsqu'elles se retournèrent, une autre porte venait de s'ouvrir juste à côté d'elles, ce qui fit sursauter Lilah. Cette porte donnait sur un petit escalier sombre que Celie reconnut tout de suite. C'était celui qui menait au bureau privé du Conseil. La cape qui étouffait les sons était accrochée à l'intérieur près du cadre de porte.

— Où est-ce que ça mène ? demanda Lilah.

Elle passa la tête dans l'ouverture, puis jeta un regard suspicieux à la cape.

— Au bureau privé du Conseil, répondit Celie en contournant Lilah pour décrocher la cape. Je vais aller voir ce qui s'y passe.

— Je devrais y aller avec toi, dit Lilah.

— Je crois que tu devrais rester, la contredit Celie. Il n'y a qu'une cape. Elle camoufle tous les bruits émis par la personne qui la porte, de sorte que celle-ci peut espionner sans attirer l'attention.

C'était au tour de Lilah d'être au bord des larmes.

— Mais je ne veux pas rester assise seule ici, expliqua-t-elle.

— Tu pourrais observer par les fenêtres afin que l'on puisse savoir si une autre équipe de recherche a été dépêchée sur les lieux de l'embuscade. Si oui, nous saurons que quelqu'un écoute vraiment Rolf. Et l'une de nous deux devrait attendre au cas où Rolf et Pogue réussiraient à se rendre ici.

— D'accord, acquiesça Lilah docilement.

Elle soupira, puis poursuivit.

— Avec toute la nourriture que nous avons mangée hier, j'aurais cru que nous aurions été rassasiées encore longtemps, mais je suis affamée. Je vais devoir manger de ces biscuits durs.

— Ne les mange pas tous, tu vas te briser une dent, ordonna Celie d'un ton faussement sévère.

Elle enfila la cape et mit le capuchon. Elle tapa ensuite du pied, mais aucun bruit ne se fit entendre.

— Tu vois ?

Lilah resta bouche bée en voyant les lèvres de Celie remuer silencieusement.

— Incroyable, s'exclama-t-elle. Maintenant, dépêche-toi !

Celie descendit l'escalier sombre et étroit aussi vite qu'elle le pouvait. Il semblait compter beaucoup plus de marches que la première fois. Elle parvint finalement à la fente pratiquée dans le mur, qui donnait derrière la tapisserie, et commença à observer.

Les membres du Conseil n'étaient pas tous présents, mais le prince Khelsh, le seigneur Feen et trois autres personnes étaient assis autour de la lourde table. Le prince occupait un fauteuil énorme qui ressemblait tant au trône que Celie grinça des dents. Il était penché vers l'arrière, les mains posées sur les bras sculptés du siège, l'air suffisant. Les conseillers se regardaient, mal à l'aise, et Celie supposa que Khelsh venait de terminer de leur raconter les péripéties survenues ce matin-là.

— S'il y a la moindre chance que Sa Majesté soit en vie, lança l'un des conseillers, nous devons partir à sa recherche. Et à celle de la reine et du prince !

— Impossible, trancha Khelsh. Morts ils sont, mentir doivent les sorciers.

— Mais si leur magie a révélé que le prince Bran, à tout le moins, est vivant, nous devons envoyer quelqu'un le chercher, protesta le conseiller. Les sorciers savent comment trouver l'un des leurs !

— Si vivant, pourquoi lui pas ici ? demanda le prince Khelsh en haussant les épaules. Il aurait pu au château marcher. Est mort.

— Vous semblez très sûr de vous, remarqua le seigneur Feen.

— Moi sûr ? Oui ! dit Khelsh dans un grand éclat de rire. Mes meilleurs assassins j'ai envoyés.

Celie échappa un petit cri.

Le seigneur Feen et les autres conseillers avaient l'air, soit mal à l'aise, soit outrés.

— Quelle méchanceté est-ce là ? répliqua le conseiller.

Celie vit qu'il s'agissait du seigneur Sefton, maintenant debout. Il poursuivit.

— Qu'avez-vous fait ?

— Je m'assure ce que je veux, répondit le prince Khelsh.

Celui-ci était affalé dans son fauteuil comme s'il était tout à fait détendu, mais Celie pouvait voir qu'il serrait légèrement les bras du siège et qu'il avait les jambes tendues, prêt à sauter sur ses pieds à tout moment.

— Vous êtes derrière cette embuscade?

Sefton pointa un long doigt tremblant vers Khelsh.

— C'étaient vos hommes?

— Oui, admit Khelsh en haussant les épaules. Selon plan avec émissaire.

— L'émissaire? demanda Sefton, dont le teint avait maintenant pris la couleur de la colle séchée. Et, en ce moment, ces hommes continuent de chasser le roi, la reine et leur fils?

Khelsh lança un regard dur à son interlocuteur.

— Vous n'aimez pas?

— Si je n'aime pas? Vous parlez de trahison et d'assassinat!

Sefton s'agrippa sur le bord de la table, comme si c'était la seule chose qui pouvait lui permettre de se tenir encore debout.

— De quoi avons-nous parlé à notre dernière réunion, ou à l'autre d'avant? demanda l'émissaire.

Il avait un air amusé qui donna envie à Celie de le frapper jusqu'à ce que son sourire disparaisse.

— Mais si vous ne vous sentez pas capable de continuer… gardes!

Immédiatement, deux soldats vhervhinois de forte carrure, dont celui contre lequel Celie avait buté le matin, entrèrent dans la pièce.

— Arrêtez-le pour trahison, ordonna l'émissaire, pointant le seigneur Sefton du doigt.

Ce dernier, sous le choc, avait les poings serrés et les lèvres exsangues.

Les deux hommes saisirent le conseiller et l'emmenè-
rent, en dépit de ses hurlements, hors de la pièce.

— Il semble qu'il y ait maintenant un poste ouvert au
Conseil, annonça l'émissaire dès que la porte se fut
refermée derrière eux. Avez-vous quelqu'un à suggérer ?

Sa voix était parfaitement calme.

Khelsh grogna.

— Je veux mon cousin Khulm. Intelligent. Mais pas si
intelligent que je dois le tuer, hein ?

Khelsh n'attendit pas de réponse. Il rit et se leva.

— Lui ici, attendre dans pièce. Je lui dis. Personne ici
faire folies, menaça-t-il, agitant un doigt vers le seigneur
Feen comme s'il était un enfant.

Riant de nouveau, il sortit de la pièce en claquant la
porte.

Celie n'écouta pas ce que le seigneur Feen ou l'émissaire avaient à dire après qu'il fut sorti. C'étaient des traîtres et des lâches. Ils resteraient probablement là, de toute
manière, à tergiverser et à se tordre les mains. Elle serra
la cape autour d'elle pour ne pas trébucher, puis elle
courut en haut des marches raconter à Lilah la nouvelle
atrocité que le prince Khelsh avait commise.

Et raconter aussi qu'elles pourraient peut-être compter
sur un autre allié, même si celui-ci était enfermé dans le
donjon, pour le moment.

Chapitre 15

Il fallut attendre au matin suivant, presque à midi, avant que Rolf puisse les rejoindre. Il avait apporté de la nourriture, que ses sœurs dévorèrent comme des loups. Pendant qu'elles mangeaient, il leur raconta tout ce qui lui était arrivé.

— C'est exactement ce que j'avais prévu, à la seule différence que l'émissaire me l'a dit en pleine face, raconta Rolf, fixant Lilah qui était à se plier une énorme tranche de jambon pour se l'enfoncer dans la bouche. Je devrai être leur marionnette : je devrai faire ce qu'ils me diront de faire et dire ce qu'ils me diront de dire, sans quoi ils me tueront et couronneront Khelsh.

— N'est-ce pas ce qu'ils essaieront de faire de toute manière ?

Celie était en train de manger une pomme en croquant d'aussi grosses bouchées que possible sans s'étouffer. Du jus lui coulait sur le menton jusqu'à sa robe, et elle n'essayait même pas de s'essuyer avec une serviette.

— Je ne crois pas. Du moins, pas si je coopère, répondit Rolf. L'émissaire se doit probablement d'attendre que le peuple s'habitue à la présence d'un prince vhervhinois. J'espère seulement que Khelsh sera assez patient, ajouta-t-il en secouant la tête d'un air sceptique.

— Il ne le sera pas, prédit Celie en frissonnant. Il a déjà remplacé un membre du Conseil par l'un de ses hommes. Il continuera ainsi jusqu'à ce que tous les membres actuels aient été remplacés par des Vhervhinois.

— Il a remplacé quelqu'un ? Qui ?

Celie et Lilah lui racontèrent ce que Celie avait entendu, puis Rolf termina le récit des événements qu'il venait de vivre. Entre autres que l'émissaire avait fait enfermer Pogue, pour constater finalement, une heure plus tard, que le fils du forgeron avait disparu.

— Le château a dû lui faire apparaître une sortie, les rassura Rolf. Et, de plus, la moitié des soldats sont partis. Y compris le sergent Avery ! Personne ne veut dire où ils sont allés, mais je parie que Pogue les a emmenés au col pour chercher nos parents et Bran.

— Comment en être sûr ? demanda Lilah. Et si Khelsh et le Conseil leur ont fait quelque chose d'horrible ?

— J'en doute vraiment, répliqua Rolf. Ils sont trop fâchés de ces disparitions. Ils m'ont questionné plusieurs fois, et tous les autres aussi, du plus humble commis de cuisine jusqu'aux autres membres du Conseil. C'est toute une histoire dans le château ! Chacun est soit terrifié, soit offensé.

— Savent-ils tous, alors, ce que Pogue et les sorciers ont découvert?

Celie arrêta de manger un instant, observant son frère avec un élan d'espoir au cœur.

— Ils le savent, confirma Rolf en prenant une grande inspiration et en lui adressant un sourire. Ils le savent, et c'est pourquoi je crois que Pogue doit s'en être bien sorti. Avant même que l'émissaire se mette à interroger tous et chacun à propos des gardes manquants, j'ai entendu des murmures. Les bonnes sont au courant, et, si les bonnes le savent, le château entier le saura bientôt aussi.

Lilah se détendit visiblement, et Celie retrouva tout de suite l'appétit. Elle déchira un petit pain, écrasa une tranche de jambon entre les deux morceaux et mangea le tout en quelques bouchées. Pogue s'était libéré, tous savaient que ses parents étaient vivants, et tout rentrerait dans l'ordre.

— Où es-tu allé après notre fuite de la salle du trône?

Lilah mangeait maintenant sa pomme à grandes bouchées, d'une manière indigne d'une demoiselle de son rang.

— Le Conseil m'a enfermé dans ma chambre, répondit Rolf.

Même s'il essayait d'adopter un ton détaché, Celie voyait dans ses yeux qu'il était en colère.

— L'émissaire est ensuite venu me voir et il a exigé que je lui dise où j'avais envoyé les gardes. Et Pogue. Évidemment, je ne pouvais pas lui répondre, et il a alors menacé de me laisser enfermé à tout jamais, ce à quoi j'ai rétorqué que ça m'était égal puisque le prince Khelsh allait de toute manière me tuer dès qu'il serait nommé prince héritier. Il est sorti rapidement en entendant ces mots.

Rolf sourit sur un ton neutre.

— Tu sais aussi maintenant que Khelsh a fait entrer son cousin au Conseil, lui rappela Celie. Tu pourras lui en parler pour le surprendre à nouveau.

— Très juste, Cel, acquiesça Rolf.

Lilah plissa le front.

— Comment as-tu fait pour sortir de ta chambre ? Avait-il oublié de verrouiller la porte ?

— Bien sûr que non, répondit Rolf sur un ton amer. J'ai dormi un peu, je me suis réveillé, j'avais faim et, voilà, il y avait une porte dans ma chambre qui menait aux cuisines ! Et la porte qui menait auparavant à mon bureau privé conduit maintenant ici.

— Que faisons-nous maintenant ?

Lilah avait fini de manger sa pomme et s'essuyait les mains avec une serviette.

— Vous devriez toutes deux rester ici, c'est l'endroit le plus sûr, leur conseilla Rolf. Mais, moi, je retourne à ma chambre.

— Je vais continuer d'espionner pour toi, offrit Celie. Je me demande si je pourrais demander au château de nous donner une cape qui rend invisible ?

— Je crois qu'il est préférable de te contenter d'une cape qui dissimule uniquement les bruits, intervint Lilah. Une cape qui confère l'invisibilité me semble trop dangereuse. Tu serais inévitablement tentée d'espionner Khelsh, et il te prendrait assurément sur le fait !

— De toute manière, j'ai besoin de beaucoup de renseignements sur Khelsh, dit Rolf. Je veux le déstabiliser et savoir tout ce qu'il planifie.

— Je ferai de mon mieux, promit Celie.

— Et que suis-je censée faire ? demanda Lilah, jouant avec sa serviette. Rester ici à étudier le vhervhinois ?

— Pourquoi pas ? répondit Rolf d'un air pensif. Tu sais, si on en avait su davantage à propos de Khelsh avant qu'il n'arrive, nous aurions peut-être été mieux préparés.

— Tu dois aussi surveiller Pogue, ajouta Celie, sachant que cette tâche plairait à Lilah. Il est peut-être sur le point de retrouver maman et papa. Ils pourraient revenir d'un jour à l'autre, maintenant.

— D'accord, acquiesça Lilah avec réticence.

— Je serai soulagé de savoir que tu es ici en sécurité, poursuivit Rolf avec une gentillesse inhabituelle. Je ne passerai pas chaque minute à m'inquiéter de la possibilité que l'émissaire ait pu t'avoir prise en otage ou fait subir quelque tort.

— Et moi ? demanda Celie, indignée, en mettant ses poings collants sur ses hanches. N'es-tu pas inquiet que j'espionne le Conseil ?

— Pas du tout, affirma Rolf. Le château ne laisserait jamais quoi que ce soit de mauvais t'arriver. Tu pourrais sauter par l'une de ces fenêtres, et le château ferait probablement apparaître une centaine de lits de plumes pour amoindrir ta chute.

— N'essaie pas ça ! dit Lilah en mettant une main sur la manche de Celie.

Mais Celie ne voulait pas sauter par la fenêtre. Elle préférait bien mieux être une espionne, même sans cape d'invisibilité. Et elle savait exactement qui elle voulait espionner en premier : le prince Lulath de Grath. Ses petits chiens et lui étaient restés suspicieusement discrets au cours de la dernière semaine. Elle l'avait vu au couronnement, mais il s'était contenté de sourire et de faire les salutations d'usage ; il ne s'était pas approché une seule fois. Était-il lié à Khelsh d'une manière quelconque ?

Avant que Celie ne puisse partager ces pensées, Lilah posa d'autres questions à Rolf.

— Est-ce qu'on t'a vu dans la cuisine ?

— Non, mais j'ai dû me cacher deux fois. Les gardes vhervhinois venaient sans cesse chercher des domestiques pour les questionner dans la salle du trône. La cuisinière m'a caché dans la chambre froide, où est entreposée la viande.

Rolf eut un regard dégoûté.

— Je ne veux plus jamais revivre ça !

— Que savent les domestiques de la situation ? poursuivit Lilah.

— Ils ont beaucoup de soupçons, précisa Rolf. Ils ne portent pas Khelsh dans leurs cœurs, ni ses hommes, j'en ai la certitude. La cuisinière avait commencé à dire quelque chose à propos de ce qu'il faudrait faire « lorsque » maman et papa seraient de retour, mais nous avons entendu au même moment les soldats descendre les marches, et elle m'a poussé dans la chambre froide. Quand elle m'a laissé sortir, la cuisinière m'a expliqué qu'ils se faisaient tous questionner. Et quelques filles de cuisine ont dit penser, alors qu'elles circulaient devant moi, que j'étais trop vieux pour obéir à une régence, mais elles ne faisaient peut-être que flirter, termina Rolf en rougissant.

— Probablement les deux, dit Lilah d'un ton cassant.

Celie admirait Lilah de ne pas se moquer davantage de son frère, si l'on considère à quel point ce dernier l'avait taquinée à propos de Pogue.

— Il semble donc que les domestiques ne soient pas contents de tout ce désastre, continua Lilah. C'est bien. Si tu revois la cuisinière, assure-toi de lui dire que Pogue et les gardes sont à la recherche de nos parents, et que les sorciers du Collège disent qu'ils sont toujours vivants.

— Oui, mon général, acquiesça Rolf.

Et il la salua.

— Je veux en apprendre plus à propos de Lulath, annonça Celie. Ses quartiers sont-ils beaux ? Est-il ami avec le prince Khelsh ?

Son frère et sa sœur la dévisagèrent un moment.

— Lulath ! s'exclama Rolf en se tapant le front. Je l'avais complètement oublié ! Mon Dieu, je me demande de quel côté est Lulath.

— Je crois fermement qu'il est dans son propre camp, dit Lilah. Mais ce serait bien, à tout le moins, qu'il ne soit pas du côté de Vhervhine !

— Tu devrais chercher à savoir, Cel, l'en pria Rolf. Et, *pour ma part*, je ferais mieux de retourner dans ma chambre avant que l'émissaire ne s'aperçoive de mon absence.

— Quant à moi, je vais jeter un coup d'œil dans les longues-vues, dit Lilah.

Ils se firent un câlin à trois, puis Celie mit sa cape et fit une démonstration des caractéristiques de cette dernière devant un Rolf admiratif. Elle mit ensuite ses mains sur le mur de la tour et, dans un chuchotement, implora le château d'ouvrir une voie vers les quartiers de Lulath. Une minute plus tard, une petite porte apparut à côté d'elle, et Rolf poussa un cri de surprise. La porte n'était que légèrement différente de celle qui menait au bureau du Conseil. Celie fit un signe de la main à Lilah et à Rolf, puis elle franchit la porte et descendit l'étroit escalier.

Les quartiers de Lulath étaient moins éloignés que le bureau du Conseil. Celie arriva à destination presque trop vite et elle faillit se cogner le nez contre le mur après le dernier tournant de l'escalier. Il y avait là aussi une fente d'observation, dissimulée de l'autre côté du mur par une draperie.

La chambre du prince de Grath était effectivement très belle. Elle était presque aussi grande que celle de Lilah. Une porte sculptée avec élégance donnait sur un grand balcon, un lit immense reposait sur une estrade, et une énorme cheminée attirait le regard. Par une porte, Celie pouvait apercevoir une pièce adjacente remplie de supports de vêtements : la salle d'habillage du prince. La pièce comportait beaucoup de fenêtres, et de superbes tapisseries ornaient les murs. Celie était très impressionnée et un peu jalouse. Le château devait assurément aimer beaucoup Lulath. Fallait-il conclure que ce dernier n'avait aucun rôle à jouer dans le complot contre Rolf ?

Impossible de le savoir puisque le prince et ses serviteurs n'étaient dans aucune des deux pièces. Tout était silencieux ; même les chiens étaient absents. Celie attendit un peu, puis elle se retourna. Le prince occupait de belles pièces, d'accord. Elle décida de trouver la chambre du prince Khelsh pour comparer.

— Château, implora Celie en caressant le mur, je veux voir la chambre du prince Khelsh s'il te plaît.

Un passage s'ouvrit à sa gauche. Elle suivit ses méandres, puis descendit une volée de marches et tourna encore quelques coins. Celie n'en était pas certaine mais, selon son atlas, elle pensait que la chambre du prince Lulath devait se trouver assez près de la salle du trône. En comparaison, celle du prince Khelsh était éloignée des pièces principales du château. Ce qui n'empêchait pas ce dernier, tout de même, de se promener à sa guise dans le château et de mettre son nez dans les affaires de tous.

Elle arriva finalement aux quartiers de Khelsh et pouffa de rire en les voyant. Elle était soulagée que la cape étouffe tous les bruits qu'elle faisait, même si c'était sans importance, car le prince n'était pas non plus dans sa chambre.

Et, franchement, Celie ne pouvait pas l'en blâmer. Sa chambre, comparable de par sa taille à une cellule du donjon, était affreuse. Il n'y avait qu'un lit quelconque à peine assez large pour une personne du gabarit de Khelsh, une chaise, un lavabo branlant et un bureau délabré. Par une porte ouverte, Celie pouvait apercevoir une autre petite chambre qui débordait de lits de camp, où devaient dormir, présuma-t-elle, ses serviteurs.

Celie n'avait jamais vu le château traiter un invité aussi froidement. Elle se demanda si la chambre de Khelsh avait été aussi moche dès le début, ou si c'était une transformation récente. Elle se rappela que Lilah avait inspecté toutes les chambres des invités la semaine d'avant, et que celle-ci aurait sûrement mentionné les quartiers de Khelsh si elle les avait vus ainsi !

— Ça t'apprendra, se dit Celie, qui, en songeant à Khelsh, regardait en direction du lit dur. Le château n'est peut-être pas en mesure de te recracher comme une vulgaire écale, mais il peut toutefois te faire savoir que tu n'es pas le bienvenu ici !

Arborant un large sourire, Celie se dépêcha d'aller faire un compte rendu à Lilah et à Rolf.

Chapitre 16

Lilah fut ravie d'entendre Celie lui raconter ce qu'elle avait vu. Elle aurait voulu informer Rolf immédiatement, mais les deux sœurs n'étaient pas certaines de l'endroit où il se trouvait. Elles s'en inquiétaient et se demandaient si Rolf n'était pas en train de subir des menaces de la part du prince Khelsh ou de l'émissaire. Lilah faisait les cent pas dans la pièce et marmonnait, tandis que Celie mangeait les derniers restes de la nourriture que Rolf leur avait apportée.

Lilah se rendit à l'une des longues-vues, y jeta un coup d'œil et poussa un petit cri.

— Qu'y a-t-il? demanda Celie en se levant d'un bond. Est-ce maman et papa? S'en viennent-ils?

Elle courut vers sa sœur, qui secouait déjà la tête.

— Non, mais regarde!

Lilah inclina la lunette pour que Celie puisse regarder.

Celle-ci appliqua l'œil sur l'oculaire en bronze et elle eut le souffle coupé. Les longues-vues montraient toujours les choses avec une telle clarté qu'on aurait cru pouvoir y toucher tellement elles semblaient proches. Cette fois-ci ne faisait pas exception. Mais au lieu de montrer les montagnes lointaines, la lunette renvoyait l'image d'une personne tout près, à l'intérieur du château.

C'était Rolf. Dans la salle du trône.

La lunette d'approche permettait de voir directement au travers des couches de pierre, d'ardoise, et ainsi de suite, jusqu'à l'intérieur de la salle du trône, où Rolf était assis sur un tabouret face à l'estrade. Il avait l'air d'un animal traqué, les bras croisés défensivement sur la poitrine, affichant une expression dure, bien que Celie pût remarquer dans ses yeux qu'il commençait à être effrayé.

— Que se passe-t-il ? chuchota Celie.

— Je ne sais pas, lui répondit Lilah sur le même ton. Laisse-moi voir.

— Prends une autre lunette, dit Celie. Je crois que ça n'importe pas.

— C'est vrai, dit Lilah en se rendant vers une autre fenêtre où elle dit à voix haute : « Je veux moi aussi voir Rolf. »

Elle regarda dans la longue-vue et s'exclama :

— Oh, parfait !

Celie présuma à ces mots que sa sœur pouvait elle aussi voir Rolf, car ce qui se passait dans la salle du trône ne pouvait être qualifié de « parfait ». Rolf n'était pas seul, mais entouré des conseillers et du prince Khelsh, tous penchés vers lui, parlant tour à tour et les uns par-dessus les autres, selon ce qu'aurait pu en dire Celie. Leurs visages étaient rouges et plus figés encore que celui de Rolf, et Celie en déduisit que son frère ne coopérait pas selon leurs désirs.

— Nous devons découvrir ce qu'ils disent!

En parlant ainsi, Lilah donna un coup de pied inutile au mur de pierre, l'œil toujours collé à la longue-vue. Chaussée seulement de ses pantoufles de velours, elle lança une exclamation de douleur.

— Ohé! là-haut? poursuivit Lilah en regardant le plafond. Château? Pourrais-tu ouvrir un passage secret jusqu'à la salle du trône, s'il te plaît?

Il n'y eut pas de réponse.

Celie s'éloigna de la longue-vue. Elle se demanda combien de ses ancêtres, ou combien de rois et de reines ayant habité au château par le passé, avaient demandé et obtenu des faveurs. Combien d'entre eux avaient même osé essayer? Les histoires des rois avaient été écrites, mais elles étaient toujours vagues à propos du château lui-même. Aucun livre n'avait été rédigé à son sujet, et personne n'avait essayé d'en faire le plan, mis à part Celie.

Elle décida d'essayer quelque chose.

La cape qui étouffait les bruits avait été déposée sur un tabouret. Celie la prit et l'enfila, sans l'attacher et sans mettre le capuchon puisqu'elle n'avait pas encore besoin de se déplacer silencieusement.

Lilah se retourna et la vit en train de mettre le vêtement.

— Cel, que fais-tu?

Elle regarda la pièce, perplexe.

— Il n'y a pas encore de passage secret.

— Mais la porte est là, pointa Celie.

Il y avait effectivement une porte.

C'était, au minimum, la quatrième fois que le château acquiesçait à une demande formulée par Celie. Elle se sentit un peu étourdie.

— Je vais nous rapporter de la nourriture lorsque j'aurai terminé, promit-elle en essayant sans succès d'avoir l'air confiante.

— Ma chérie, non! protesta Lilah. Tu ne peux pas y aller. Que va-t-il arriver si tu te fais prendre?

— Je ne me ferai pas prendre, dit Celie, la voix légèrement tremblante et serrant les poings pour se détendre. Je vais emporter mon atlas, et tout ira bien.

Elle ramassa sa collection de cartes sur la table. Elle prit aussi un fusain et le mit dans la poche de la cape.

— En fait, je crois que je vais prendre des notes si je vois quelque chose de nouveau. Ça nous aidera à nous faufiler discrètement un peu partout.

— Laisse-moi venir avec toi, commença Lilah.

— Tu sais que je suis la meilleure dans ce type d'interventions, fit remarquer Celie. Je serai de retour avant que tu n'aies eu le temps de t'inquiéter. Et tu pourras me surveiller par la longue-vue, ajouta-t-elle.

— D'accord, acquiesça Lilah. Mais va uniquement à la salle du trône et reviens directement. Nous penserons à manger une autre fois.

— Très bien, dit Celie, décidée intérieurement à ne pas obéir.

Son estomac gargouillait déjà.

Elle descendit l'étroit escalier en proie à une vive inquiétude, qu'elle essaya de dissimuler le mieux possible à Lilah, en gardant les épaules droites et en maintenant un pas régulier. Cependant, une fois qu'elle eut passé la porte en bas de l'escalier, parvenant à l'intérieur même du château, il lui fut encore plus difficile de se maîtriser lorsqu'elle se rendit compte qu'elle devrait continuer d'afficher son air faussement désinvolte jusqu'à la salle du trône.

Et même au-delà, en réalité. Celie avait l'intention d'emprunter le couloir des domestiques, qui partait de la cuisine et des autres aires de service jusqu'à la salle du trône. Elle était certaine qu'elle pourrait soit entendre assez bien par le trou de la serrure, soit réussir à entrouvrir la porte sans que personne ne le remarque. La porte elle-même était dissimulée derrière une tapisserie.

La tour des longues-vues étant commodément située près de la salle du trône, Celie ne rencontra presque personne, si ce n'est deux bonnes qui hochèrent la tête et passèrent à côté d'elle, comme s'il n'était jamais rien survenu d'inhabituel dans le château, et un homme qu'elle soupçonna venir de Grath. Lui aussi hocha la tête, mais avec un large sourire, comme s'il n'avait jamais été aussi content de voir quelqu'un. Elle lui fit un signe de tête et accéléra légèrement.

Elle se retrouva bien vite dans un long corridor qui menait aux lingeries et à la salle de repassage. Elle tourna à gauche, sourit à une bonne qui transportait une pile de draps fraîchement lavés, puis elle se retrouva devant l'une des portes donnant accès au corridor menant à la salle du trône. Elle remarqua que la salle de repassage ne figurait pas à son atlas et prit mentalement note de l'ajouter plus tard. Elle entra dans le corridor, qu'elle emprunta jusqu'à la fin où se trouvait une porte plaquée de cuivre.

Celie colla son oreille contre la porte, mais n'entendit rien. Son cœur battant la chamade, elle souleva lentement le loquet et ouvrit la porte tout juste assez pour pouvoir y passer la main et pour l'empêcher de se refermer dans un claquement en cas de courant d'air. Elle ne pouvait évidemment encore rien voir, mais elle entendait maintenant assez bien.

— ... raisonnable, disait quelqu'un. C'est la seule option possible.

Celie crut qu'il s'agissait de l'émissaire, et elle se sentit raidir un peu.

— Désigner un prince étranger comme héritier ?

Rolf semblait las, comme s'il avait eu à répéter encore et encore.

— Pourquoi pas l'une de mes sœurs, ou un noble de Sleyne ?

— Ils n'ont tout simplement pas l'expérience, trancha l'émissaire.

— Le prince Khelsh n'a jamais dirigé un pays non plus, amena Rolf. D'ailleurs, il parle à peine notre langue et il s'y retrouve à peine dans le château, voire dans le pays.

— Ce n'est qu'une précaution, déclara le seigneur Feen. Votre Majesté est très jeune ; le prince Khelsh aura amplement le temps d'apprendre notre langue et nos coutumes.

— Je vais me marier dans quelques années, renchérit Rolf d'un ton qui serra le cœur de Celie. J'aurai mes propres héritiers... probablement avant la fin même de cette régence épouvantablement longue ! Ça me semble donc absolument inutile de…

— Signez feuille, aboya le prince Khelsh. Signez maintenant ! Ne parlez plus !

— Laissez-moi d'abord la lire, dit Rolf d'une petite voix.

Il y eut des bruissements, puis un long silence. Celie aurait aimé pouvoir murmurer quelques mots à Rolf et, s'il avait été sur le trône, elle aurait peut-être pu. Elle voulait dire à Rolf que les quartiers de Khelsh étaient affreux ; elle désirait qu'il sache que même le château n'allait pas accepter que Khelsh s'empare du pouvoir. Dans les circonstances, elle se contenta d'essayer de lui envoyer, en pensée, de l'amour et de l'énergie pendant qu'il affrontait l'horrible Khelsh et ses horribles laquais du Conseil.

— Je voudrais y apporter quelques modifications, annonça Rolf.

— Non ! hurla Khelsh d'indignation. Signe, stupide garçon !

— Très bien, dit Rolf, la colère dans la voix. Mais je veux que l'entente stipule que vous demeurerez mon successeur uniquement jusqu'après mon mariage, à la naissance de mon propre héritier. Selon la proposition actuelle, même si je devais avoir 10 enfants, vous resteriez mon héritier, ce que je refuse de signer.

On entendit le papier se froisser.

— Votre Majesté, qui se comporte comme le garçon récalcitrant que vous êtes, a peut-être besoin d'aller dans sa chambre jusqu'à ce que vous appreniez ce qu'est le bon sens, menaça l'émissaire.

— Peut-être, répondit doucement Rolf.

Il y eut un bruit de pas qui s'éloignaient, puis des bre-douillements de rage se firent entendre de la bouche de quelques conseillers. La porte de la salle du trône se referma d'un claquement sec, et Celie sourit en imaginant Rolf quitter la pièce la tête haute.

Une confusion s'ensuivit : les conseillers étaient dans tous leurs états, et Khelsh explosa de colère en vhervhi-nois. L'émissaire le calma dans cette même langue, puis ils sortirent finalement tous, laissant place au silence. Celie attendit encore une minute, referma ensuite la porte sans faire de bruit et repartit en sens inverse jusqu'au bout du couloir, donnant sur la cuisine.

Où elle faillit carrément buter contre le dos du prince Lulath de Grath.

Celie lâcha un petit cri de surprise et tenta de battre en retraite dans le passage avant qu'on ne l'aperçoive. Mais l'une des bonnes, à qui Lulath était en train de s'adresser, la regarda, ce qui amena ce dernier à se retourner et à saluer Celie, les yeux écarquillés et le sou-rire fendu jusqu'aux oreilles.

— Oh, la princesse Cecelia ! Justement elle que je cherchais !

Chapitre 17

Celie ne put elle-même s'empêcher d'écarquiller les yeux en le voyant. Constatant qu'il était impeccablement coiffé, vêtu d'une tunique immaculée, elle vit soudain qu'elle était quelque peu poussiéreuse et qu'elle portait toujours sa cape étrangement lourde. Lulath était effectivement très beau et très grand. Il transportait un de ses petits chiens sous le bras, comme un manchon de fourrure molle.

Celie enleva la cape et la replia sur son bras.

— Vous, euh, me cherchiez ?

— Oui, *oui* !

Lulath sembla un instant vouloir la serrer dans ses bras, mais Celie recula d'un pas. Le prince était plutôt inquiétant, car, tout comme Khelsh, il parlait toujours d'une voix très forte. Mais, dans le cas de Lulath, c'était apparemment davantage par enthousiasme que par colère.

— Que me vouliez-vous ?

— Je voulais parler d'un sujet de la très grande importance, et vérifier que vous êtes bien !

Il regarda nerveusement Celie, lui scrutant le visage comme s'il était vraiment inquiet.

— Je vais bien, l'assura Celie. Quel est le sujet de… de grande importance ?

— Et votre sœur, la princesse Delilah, est-elle bien aussi ?

— Delilah va bien, répondit Celie.

— Et vous êtes… en sécurité ?

Le prince avait baissé la voix jusqu'à presque murmurer.

— Vous avez un endroit pour dormir qui est le plus sûr ?

— Oui, oui, confirma Celie.

Elle cligna des yeux en le regardant, soulagée mais incertaine. S'en préoccupait-il réellement ?

Lulath se pencha plus près, et le petit chien releva la tête pour la renifler. Le chien était de couleur caramel, et des boucles roses empêchaient ses longs poils de lui cacher les yeux. Celie tendit la main, et il lui lécha les doigts.

— Elle vous aime, lui confia Lulath dans un murmure conspirateur.

Était-ce là le sujet de grande importance ? Que ses chiens l'aimaient, elle ?

Celie lança un regard perplexe au prince, et elle remarqua que la cuisinière s'agitait derrière son épaule. Elle lui faisait des grimaces pour attirer son attention, puis elle leva son rouleau à pâtisserie dans les airs comme si elle lui offrait d'en donner un coup sur la tête du prince. Celie ouvrit plus grand les yeux et elle bougea très légèrement la tête de gauche à droite.

— C'est parce que vous êtes quelqu'un de bien, expliqua sérieusement le prince. Et votre sœur, et votre frère.

Il baissa encore la voix, et Celie fit un petit pas vers l'avant pour pouvoir mieux l'entendre.

— Et moi, continua le prince, je suis aussi une bonne personne et je veux vous aider. Les membres de la régence, je crois qu'ils ne sont pas des personnes bien. Ils sont avec Khelsh, qui n'est pas très bien.

Celie hésita. Était-ce un piège? Essayait-il de vouloir l'amener à parler contre le Conseil, pour pouvoir la dénoncer?

Une pensée lui traversa l'esprit.

— Puis-je voir vos quartiers?

La cuisinière échappa son rouleau à pâtisserie.

— Princesse Cecelia!

Mais Lulath faisait signe que oui. Il regarda de nouveau Celie, cette fois-ci avec un air compréhensif qu'elle n'aurait pas soupçonné possible chez un homme qui se promenait avec des petits chiens dans les bras. Il lui tendit sa main libre, mais Celie refusa poliment d'un signe de tête. Elle le contourna et s'approcha de la cuisinière, qui avait ramassé son rouleau à pâtisserie et continuait à marmonner.

— Ne vous en faites pas, Madame la cuisinière, chuchota Celie. Les quartiers du prince Khelsh sont très *petits*, *sombres*, et *mal meublés*.

Elle haussa les sourcils et attendit de voir si la vieille dame comprenait.

— Oh, lança la cuisinière, haussant elle aussi les sourcils.

— Les quartiers du prince Lulath, au contraire, sont très bien, insinua encore Celie.

— En effet, la femme de chambre a déjà mentionné quelque chose à cet effet, confirma la cuisinière.

— Je veux voir de quoi ils ont l'air aujourd'hui, dit Celie.

— Je pourrais envoyer la fille en haut…

— Ça va, la coupa Celie. Je veux les voir de mes propres yeux.

Elle ne s'expliqua pas davantage, car elle ne savait pas vraiment ce qu'elle cherchait. Elle avait une bonne idée des quartiers de Lulath, mais ses connaissances se limitaient à ce qu'elle avait observé à travers le voile d'une tapisserie. Étaient-ils aussi grands et somptueux qu'ils lui avaient semblé? Et le château avait-il fourni les meubles, ou étaient-ce les serviteurs de Lulath qui les avaient apportés? Elle avait des questions à poser au prince, et la présence des filles de cuisine, avides de curiosité, n'aiderait en rien. Et si l'une d'elles espionnait pour le Conseil?

— D'accord, acquiesça la cuisinière. Je sais que vous serez bien protégée. Vous avez toujours été la préférée du château.

Elle avait dit assez fort ces derniers mots pour que Lulath entende. Il hocha la tête et sourit comme dans un signe d'approbation. Il retendit la main, et cette fois-ci Celie la prit.

— Un autre panier de nourriture sera prêt dans quelques minutes, annonça la cuisinière, à l'intention du prince Lulath ainsi que de Celie.

— Merci, lui dit Celie d'un air dégagé.

C'était comme si elle partait en pique-nique, alors qu'elle en était à se cacher dans son propre château.

— La cuisinière, elle est une femme bien, dit le prince Lulath alors qu'ils sortaient de la cuisine pour emprunter un long escalier.

— Oui, acquiesça Celie. Elle est comme la reine de son propre royaume, dans la cuisine.

Lulath se mit à rire.

— Une bonne façon de dire. Je souhaiterais beaucoup qu'elle vienne à Grath. Elle cuisinerait excellemment pour nous aussi, alors! Mais le château Malicieux, il serait plein de colère! Je ne sortirais aucune personne du château Malicieux. Pas une seule.

Il lui serra le coude dans un geste éloquent.

— C'est très gentil, répondit Celie. Mais… voulez-vous rester ici pour toujours?

Elle n'arrivait pas à penser à une autre façon de le demander. Khelsh ne semblait pas vouloir faire sortir qui que ce soit du château, sauf si se débarrasser de Rolf comptait, mais il ne semblait pas davantage vouloir retourner à Vhervhine.

Le prince grathien plissa le front et se mit à réfléchir pendant qu'ils marchaient vers ses quartiers. Celie se demanda s'il avait bien compris la question, s'il ne savait comment formuler la réponse dans sa langue ou s'il n'avait aucune idée de la réponse. Elle demeura silencieuse et le laissa se démener avec ses pensées tandis qu'ils descendaient un long couloir et montaient une autre volée de marches dans l'aile du château réservée aux invités.

— Je ne sais pas, répondit le prince.

Il s'arrêta devant une large porte sur laquelle étaient sculptées les armoiries des Malicieux : un château stylisé dont les tours étaient dominées par la silhouette d'une créature aux grandes ailes.

— Je ne sais pas ce que je veux. Premièrement, je veux vous aider, vous et l'autre princesse, et le nouveau roi, à être le plus en sécurité possible.

Il ouvrit la porte de ses quartiers, et Celie sut immédiatement que le prince Lulath de Grath était sincère. Elle sut aussi que le château aimait le prince, possiblement autant qu'il aimait sa famille à elle.

Les quartiers de Lulath étaient vraiment énormes, avec des plafonds élevés et de larges balcons, en tous points semblables à ce qu'elle avait vu auparavant. La cheminée était assez large pour y rôtir un bœuf, et juste devant se trouvait un panier à chien ouvragé dans lequel reposaient les deux autres petits chiens.

Celui que le prince tenait dans ses bras se dégagea pour aller rejoindre ses compagnons. Ils commencèrent à se rouler sur le tapis de luxe et à glapir à qui mieux mieux.

— Mes bébés, dit tendrement le prince. Ils sont si bêtas, ces petits.

— Euh, oui, répondit Celie, détachant son regard des chiens et observant la pièce de nouveau.

Ils étaient dans un grand salon. D'un côté, elle pouvait voir une chambre par l'embrasure d'une grande porte et, de l'autre, la salle d'habillage remplie de vêtements. Celie n'avait jamais vu les penderies auparavant, ni le panier à chiens, ni certains fauteuils du salon. Mais les meubles plus gros et plus lourds provenaient du château, elle en était certaine : des buffets aux gravures sophistiquées, une banquette aux coussins bleu et gris qu'elle était plutôt certaine d'avoir déjà vue dans la pouponnière, et un grand lit à baldaquin aux armoiries de Sleyne.

— Ce sont de très beaux quartiers, s'exclama Celie. Avez-vous apporté vous-même ces choses ?

Elle posa la main sur le dossier d'un haut fauteuil qu'elle n'avait jamais vu auparavant.

— Oui, certaines, admit Lulath en pointant le fauteuil et une carpette sur le plancher. L'ambassadeur a dit que peut-être le château, il ne t'aimera pas ; alors j'ai apporté certains de mes meubles et objets de confort.

Celie se demanda de quoi avait l'air la chambre de l'ambassadeur, et pourquoi il s'était inquiété à l'effet que le château puisse ne pas aimer Lulath.

— Et, bien sûr, j'ai les nombreux vêtements.

Dans un éclat de rire d'autodérision, il montra de la main les penderies dans la salle d'habillage.

— Et mes chouchous doivent avoir leur lit.

En l'entendant s'esclaffer, les petits chiens coururent à travers la pièce et sautillèrent aux pieds de leur maître.

Lulath rit à nouveau et s'assit sur la carpette, sans se soucier de froisser sa belle tunique. Les chiens grimpèrent sur ses cuisses, se battant pour la meilleure place, et l'un d'eux se hissa sur sa poitrine pour pouvoir lui lécher le menton.

— Ah, mes gentils chiens !

Celie ne put résister : elle se mit à genoux et tendit une main. Le chien couleur caramel vint immédiatement vers elle, frétillant de tout son corps, et Celie lui caressa ses douces oreilles. Le chien lui lécha frénétiquement les doigts, pendant que Celie lui passait son autre main sur le dos.

— Beaucoup elle vous aime ! s'enthousiasma Lulath. Les chiens, ils sont très bons pour connaître les cœurs des personnes. Et JouJou est très intelligente.

— JouJou ?

Le chien caramel jappa de plaisir quand Celie prononça son nom, et il sauta sur ses cuisses. Il en retomba aussitôt, car la robe de deuil en satin noir était très glissante. Celie éclata de rire. Le chien roula sur son dos, et Celie lui frotta son ventre tout rond.

— Vous voyez, fit remarquer Lulath. Les chiens, ils vous aiment, et je vous aime, et le château m'aime. Maintenant, vous devez me dire ce que je fais pour vous, et le nouveau roi, et la sœur. Qu'est-ce que c'est que je fais pour aider ?

— Le prince Khelsh est un très… ce n'est pas… quelqu'un de bien, commença lentement Celie.

— Non, très méchant, acquiesça Lulath. Si méchant que son propre père dit qu'il ne peut pas revenir.

Celie en resta bouche bée.

— Il ne peut pas retourner à Vhervhine ? Il a été condamné à l'exil ?

— Oui, l'exil, confirma Lulath d'un hochement de tête, le visage sombre. Je ne crois pas que les Vhervhinois savent qu'il est ici. Je crois que Khelsh paie l'ambassadeur pour prétendre qu'il vient… par cette requête royale, qui doit être fausse.

— Vraiment ?

Elle leva les sourcils sans pouvoir les rebaisser.

— Où est-il censé être ?

— Je ne le sais pas, répondit Lulath en haussant les épaules. Je ne crois pas qu'il m'écouterait si je lui disais de partir. Sinon, je le ferais, je lui dirais.

Assise sur le plancher avec le prince Lulath, le regardant s'amuser avec ses chiens, Celie comprit soudainement quelque chose. Le prince, malgré sa taille et ses beaux habits, n'était pas aussi âgé qu'elle l'avait d'abord cru.

— Quel âge avez-vous ? demanda-t-elle.

Elle ajouta tout de suite, pour ne pas avoir l'air impolie :

— J'ai 11 ans.

— J'ai 2 ans plus que 20, répondit-il.

Celie lui donnait au moins 25 ans, si ce n'est 30. Mais il n'y avait aucune ride sur son joli visage souriant, et il avait l'air beaucoup moins imposant avec un chien sous le menton.

— S'il vous plaît, princesse, est-ce que je peux aider ?

Celie se rendit compte qu'il offrait son aide et que, durant tout ce temps, il avait attendu qu'elle lui donne des instructions. Il était à ses ordres, pensa-t-elle, ravie, mais que lui demander ? Et à quel point pouvait-elle vraiment lui confier ce qui se passait ? Elle aurait aimé pouvoir consulter Lilah et Rolf, mais un banquet était prévu ce soir-là, et les serviteurs de Lulath viendraient l'aider à s'habiller d'une minute à l'autre.

Celie respira profondément et prit une décision.

— Mes parents sont en vie, et Bran aussi, dit-elle précipitamment. Des sorciers du Collège l'ont confirmé, mais ils ne savent pas où ils sont, du moins pour l'instant. Nous avons envoyé notre ami Pogue Parry et certains gardes du château à leur recherche. Nous croyons qu'ils se cachent parce qu'ils craignent une autre embuscade. Le prince Khelsh avait payé des hommes pour qu'ils les attaquent dans le col, termina-t-elle.

Les yeux de Lulath s'écarquillèrent, mais il hocha la tête comme s'il n'était pas vraiment surpris.

— Le prince Khelsh et l'émissaire des territoires étrangers complotent depuis des années pour renverser le château et Sleyne, continua Celie. Khelsh veut que Rolf fasse de lui son héritier. Nous croyons qu'il tuera Rolf dès que ce sera fait.

Le prince hocha de nouveau la tête.

— Oui, dit-il simplement. Je pensais effectivement à quelque chose comme ça.

— Exactement, rajouta Celie. C'est tout à fait horrible.

— Khelsh est venu me voir pour savoir où vous et la princesse Delilah étiez, lui confia Lulath. Il voulait regarder sous mon lit et dans la salle d'habillage.

Il fit des tss-tss de désapprobation et secoua la tête.

— Très mal élevé. Je lui dis que je ne le sais pas. Il commence à crier, mais là le château ferme ma porte, sourit Lulath, ravi. Mais avant, Toulala a eu le temps d'arroser une des bottes de Khelsh.

Il flatta le chien noir et blanc.

— Booonnn chien !

— Trèèès bon chien ! dit Celie en riant.

— Alors, vous avez une place pour dormir, et la cuisinière vous prépare à manger, résuma Lulath.

— Oui.

— Quoi d'autre est-ce que vous voulez ? Vous devez avoir besoin de quelque chose d'autre !

— Oui, acquiesça Celie, une idée lui venant soudainement à l'esprit. Vous dites que le père du prince Khelsh ne sait pas qu'il est ici ?

— Je le crois, princesse.

— Lui écririez-vous une lettre pour lui dire ce que fait le prince Khelsh ?

C'était maintenant au tour de Lulath de rester bouche bée.

— Pourquoi jamais n'y avoir pensé ?

Celie haussa les épaules.

— Je vais lui en envoyer une dès aujourd'hui, par mon messager.

— Bonne idée, l'encouragea Celie.

Elle hésita, flattant vigoureusement JouJou en réfléchissant. Elle ne voulait pas parler de la tour des longues-vues au prince Lulath ; c'était plus sûr que personne ne soit au courant, mis à part Pogue, Lilah et Rolf. Mais il y avait certainement autre chose que Lulath pouvait faire.

— Oh !

Elle cessa de caresser le chien, mais JouJou lui donna un petit coup de museau pour l'inciter à continuer.

— Désolée, s'excusa-t-elle auprès du chien en lui flattant la tête. Je sais ce qui aidera beaucoup Rolf!

— Je peux faire n'importe quoi! dit Lulath. N'importe quoi!

— Rolf a besoin de soutien.

Le prince eut l'air perplexe.

— Le Conseil essaie de convaincre le peuple que Rolf est trop jeune pour être un bon roi. Si vous disiez à tous que vous croyez qu'il fait du bon travail, qu'il prend de bonnes décisions, et ainsi de suite, vous nous aideriez beaucoup!

— Ah! approuva Lulath en hochant la tête. Tellement, tellement! Je ferai ce que vous demandez. Devrais-je dire que l'ancien roi et sa femme sont bien vivants?

— Euh.

Celie dut réfléchir un instant. Elle ne voulait pas qu'il soit trop évident que Lulath était de leur côté. Ce serait plus sûr pour tous.

— Peut-être devriez-vous seulement dire qu'à votre avis le Conseil a annulé les recherches prématurément?

— Oui, très bien! répondit Lulath, qui semblait ravi. Le Conseil aura l'air du très mauvais, s'il *veut* que l'ancien roi soit mort et s'il *veut* aussi que le nouveau roi échoue.

— Exactement!

Ils se firent un grand sourire, puis Celie donna une dernière caresse à JouJou et se remit sur ses pieds.

— Il me faut partir, maintenant, annonça-t-elle. Je dois aller chercher le panier de la cuisinière et retourner à la tou... à notre chambre. Lilah va s'inquiéter de mon absence.

— Oui, oui, acquiesça Lulath, se levant avec beaucoup plus de grâce. Dites-lui s'il vous plaît que j'aiderai, et votre frère aussi j'aiderai.

— Bien sûr, promit Celie.

— Si je découvre une nouvelle chose, comment je le dis à vous ?

— Faites dépasser un mouchoir de votre manche, répondit promptement Celie. L'un d'entre nous trouvera une manière de vous parler. De plus...

Celie s'arrêta et rougit, se rappelant que les longues-vues permettaient aussi d'observer dans les pièces du château.

— Je crois que je peux voir vos quartiers de notre cachette.

Lulath cligna rapidement des yeux, mais il dit simplement que c'était un château merveilleux. Il semblait avoir l'esprit d'aventure et ne paraissait nullement dérangé du fait que Celie, sa sœur et son frère puissent l'espionner.

— Aussi, si j'ai les nouvelles, je vais écrire des notes pour vous et les mettre sous le lit de mes toutous, avec un foulard par-dessus pour attirer l'attention, décida-t-il en pointant le lit des chiens. Et si je dois vous parler de personne à personne, je mettrai le mouchoir ici.

Il tira une de ses manchettes au rebord de dentelle.

— Parfait, répondit Celie, enchantée.

Impulsivement, elle se mit sur la pointe des pieds et l'embrassa sur la joue.

— Vous êtes merveilleux aussi, lui dit-elle.

Il sembla surpris et lui sourit. Ce n'était pas son sourire habituel, qui lui donnait un air un peu idiot, mais un petit sourire penaud qui le faisait paraître encore plus jeune que ses 22 ans.

— Je vous emmène aux cuisines ? demanda-t-il.

— Non, il est préférable que vous restiez ici. On ne doit pas trop nous voir ensemble, expliqua-t-elle. Je me débrouillerai bien seule.

— À la prochaine, princesse Cecelia, dit-il en faisant la révérence.

Elle fit de même.

— Appelez-moi Celie, l'enjoignit-elle.

— Celie. Ayez la bonne chance.

Chapitre 18

Les enfants Malicieux arrivèrent au constat suivant lorsque Celie annonça à Rolf et à Lilah que Lulath allait les aider : ils pouvaient probablement s'aider eux-mêmes davantage. Ils avaient espionné Khelsh et le Conseil, mais ils n'avaient rien fait pour vraiment les évincer du château.

Mais peut-être que…

— Si je peux me rendre aux quartiers de Lulath pour récupérer ses messages, pourquoi ne me rendrais-je pas dans les quartiers de Khelsh ? suggéra Celie.

— Celie ! Pourquoi voudrais-tu… commença Lilah.

— Qu'avais-tu en tête ? l'interrompit Rolf.

Si l'idée indignait Lilah, Rolf avait l'air plutôt intrigué. Il semblait défait : ses cheveux lui tombaient dans les yeux, il avait les traits tirés et le regard tourmenté. C'était la première fois qu'il se sentait ragaillardi depuis le début de leur rencontre de planification du soir.

— Et si je lui volais ses draps ? proposa-t-elle.

Rolf ricana, mais Lilah secoua négativement la tête.

— Non, il donnerait du fil à retordre aux bonnes, fit-elle remarquer.

— Hum.

Celie réfléchit profondément un long moment.

— Et si je faisais quelque chose de plus sournois ? Comme faire quelque chose à ses vêtements ?

— Mais quoi ?

Rolf se tapotait les lèvres en réfléchissant.

— Nous pourrions renverser de l'encre sur ses chemises.

Celie hocha la tête.

— Peut-être pas sur toutes, car ça donnerait l'impression d'avoir été fait délibérément, mais seulement sur les manches d'une ou deux d'entre elles.

— Nous pourrions en abîmer quelques-unes, dit Lilah, ajoutant soudain son grain de sel. Les découdre jusqu'à ce que les coutures ne tiennent qu'à un fil, pour qu'elles se défassent une fois qu'il serait sorti de sa chambre !

Celie éclata de rire.

— Je pourrais découdre le derrière d'un de ses pantalons !

Lilah rougit, mais hocha la tête d'approbation.

— Faisons aussi le coup à l'émissaire, ajouta-t-elle. Et au seigneur Feen.

— Oui, voyons à combien de membres du Conseil nous pouvons le faire, acquiesça Rolf.

172

— D'accord, convint Celie. Mais nous devrons attendre au matin. Ils sont dans leurs quartiers en ce moment, et c'est trop dangereux.

— Nous devrions dormir, alors, dit Lilah en bâillant.

Ils se mirent au lit sur les couvertures et les oreillers que les filles avaient apportés de leurs chambres. Même Rolf, qui aurait facilement pu retourner dans son confortable lit, resta sur le plancher de la tour des longues-vues, aussi réticent que ses sœurs à ce qu'ils se séparent.

Une fois certaine que son frère et sa sœur s'étaient endormis, Celie sortit Rufus de sa taie d'oreiller et le tint contre sa poitrine. Il avait l'odeur de sa chambre, et elle pleura silencieusement un moment avant de s'endormir.

Ils commencèrent leur campagne le matin suivant. Le château leur ouvrait des passages, et ils faisaient des allers-retours en courant, transportant des brassées de robes, de tuniques et de pantalons noirs réglementaires. Lilah défaisait très précisément les coutures des pantalons et des robes jusqu'à l'extrême limite. Rolf trempait joyeusement les manches dans un bac d'encre, et Celie utilisait de petits ciseaux pointus pour découper partiellement la dentelle des tuniques.

Ils devaient ensuite réemprunter les passages pour retourner les vêtements à leurs propriétaires, et c'est alors qu'ils rencontrèrent un petit problème.

Aucun d'entre eux ne se souvenait de la provenance précise des vêtements.

Les tuniques vhervhinoises du prince Khelsh, qui s'attachaient sur le côté de la poitrine à l'aide de lourds boutons en or, étaient faciles à identifier, bien sûr. Mais la plupart des conseillers portaient du noir même sous leurs robes, et ils semblaient tous être grands et minces. Celie pensa que les vêtements du seigneur Feen devaient avoir une odeur particulière, semblable à celle du fromage moisi et des chats, mais les deux autres étaient incapables de la détecter.

— Je ne suis pas si inquiet, dit Rolf avec désinvolture. Ce ne sera que plus diabolique si leurs vêtements ne leur font plus!

Il prit une brassée de vêtements et s'en alla simplement dans l'un des passages. Celie haussa les épaules et fit la même chose, puis Lilah s'empara du reste, grommelant parce qu'on lui avait laissé la plus grosse pile. Lorsqu'ils eurent terminé, il était temps pour Rolf d'aller rencontrer ses régents, et il descendit avec la même tunique qu'il portait la veille, un sourire narquois au visage.

— Fais attention de ne pas te trahir, l'avertit Lilah.

— Ah, franchement, Lilah! protesta Rolf. Pourquoi me soupçonneraient-ils d'être derrière tout ça?

Mais il fit de son mieux pour une fois de plus adopter une attitude grave et avoir l'air intimidé.

— Je dois observer, annonça Celie en allant vers une longue-vue.

Lilah se rendit à une autre, et elles observèrent la salle du trône avec empressement.

Les membres du Conseil devaient déjà être habillés pour la journée, si bien qu'aucune de leurs tuniques ni aucun de leurs pantalons n'allaient se déchirer à un moment inopportun. Cependant, ils s'étaient rencontrés dans leur bureau privé, de telle sorte qu'ils n'avaient toujours pas enfilé leurs robes noires officielles. Maintenant, pour se préparer à parler, ou plutôt à donner des ordres à Rolf, ils auraient à mettre leurs robes pour avoir l'air plus impressionnants.

— J'espère que le jeu en vaudra la chandelle, s'inquiéta Lilah. Nous avons à peine réussi à rapporter les choses à leur place à temps. Et nous avons eu beaucoup de chance de ne pas croiser leurs serviteurs personnels.

— Nous planifierons mieux notre plan la prochaine fois, je le promets, la rassura Celie.

— La *prochaine* fois ?

Celie sourit intérieurement. Elle avait songé à un autre tour qu'ils pourraient jouer aux membres du Conseil, mais elle ne voulait pas en faire part tout de suite à Lilah. Elle savait que Lilah s'opposerait à cette idée, mais que Rolf l'adorerait. Elle voulait qu'il soit là pour l'aider à convaincre sa sœur.

— Chut, ils arrivent, dit Celie.

Telle une volée de corbeaux, le Conseil entra en rang dans la salle du trône, le prince Khelsh en tête. Suivant derrière, avec ses deux gardes du corps, Rolf fit son apparition. Il semblait froissé, mais résolument joyeux, contrairement à Celie qui rageait de voir la manière irrespectueuse dont le Conseil traitait son frère, comme s'il n'était qu'un scribe bon à prendre des notes.

Rolf prit place sur sa chaise en face de l'estrade et il fit signe aux membres du Conseil de s'asseoir sur les chaises à dossier droit qu'il avait commandées pour eux. Ils ne se plièrent pas pour autant à son invitation. Ils semblaient manifestement apprécier le fait de se dresser menaçants devant lui. Celie ressentit une satisfaction coupable, sachant que le seigneur Feen, fortement décrépi par l'âge, avait probablement des rhumatismes qui lui donnaient de la difficulté à rester longtemps debout.

Les conseillers parlaient, le prince Khelsh frappait son poing dans son autre main, pendant que Rolf était assis en silence. Il était censé signer aujourd'hui l'accord faisant de Khelsh son héritier, mais la feuille était introuvable. Celie savait que Rolf l'avait emportée dans sa chambre la veille pour y jeter un coup d'œil, et il devait l'avoir laissée à cet endroit. Elle gloussa de rire en racontant la chose à Lilah.

Khelsh gesticula davantage, et un serviteur partit en courant, probablement dans le but d'aller chercher la feuille dans la chambre de Rolf. Celui-ci restait assis sans bouger, une expression d'ennui au visage qui semblait exaspérer Khelsh encore plus. Ce dernier leva une main en l'air, comme s'il prenait le ciel à témoin de l'obstination de Rolf, puis il figea.

— Que fait-il là ? arriva à peine à murmurer Celie en appuyant son œil si fort contre la longue-vue qu'elle en avait mal. Que se passe-t-il ?

— Sa manche ! dit Lilah en s'esclaffant. Vois-tu ? Sous le bras !

Celie regarda attentivement, décrivant un cercle avec sa longue-vue jusqu'à ce qu'elle puisse finalement voir la manche du prince. La couture de la robe noire de Khelsh s'était rompue sous le bras. C'était difficile à voir, étant donné que Khelsh portait une tunique couleur prune foncée en-dessous, mais il y avait bel et bien une ouverture.

Khelsh était demeuré figé un instant quand il avait senti sa robe se déchirer, puis il avait baissé son bras avec hâte, le serrant contre lui et jetant un regard à la ronde pour savoir si quelqu'un d'autre avait remarqué ce qui lui arrivait.

Ce n'était pas le cas, mais le reste du Conseil lança un regard perplexe au prince Khelsh, car celui-ci s'était tu au beau milieu de sa phrase, avant de se retourner pour regarder Rolf furieusement. Rolf lui rendit un regard innocent, tandis que Celie le priait silencieusement de ne pas rire ou dire quoi que ce soit d'amusant, sans quoi Khelsh comprendrait que Rolf avait quelque chose à y voir.

— Regarde le seigneur Feen ! cria Lilah. Oh, regarde-le, Celie !

Le vieil homme avait finalement consenti à s'asseoir, ce qui allait s'avérer une erreur de sa part. En effet, quand il se laissa tomber sur sa chaise à dossier droit, sa robe se serra aux épaules, et les coutures se rompirent sur-le-champ. Sa robe glissait maintenant sur son dos et sa poitrine, exposant sa vieille tunique noire et lui coinçant les bras pendant qu'il criait et se secouait comme une corneille venant de se faire surprendre.

Celie ne pouvait s'empêcher de rire, et Lilah non plus. Au moment où l'émissaire se penchait pour aider le seigneur Feen à ramasser les pans de sa robe, sa propre robe se fendit aussi sous les bras. Celie poussa des cris de joie, et Lilah grogna d'une manière indigne d'une demoiselle tant elle riait.

Pendant ce temps-là, Rolf restait assis sur sa chaise, mais il affichait maintenant un air préoccupé. Il regarda le Conseil caqueter et s'agiter encore un moment, dissimulant vaillamment son amusement lorsqu'il vit trois autres seigneurs être victimes du tour des enfants. Le serviteur revint finalement de sa chambre avec la feuille.

Rolf marmonna des mots ayant l'air de signifier qu'il se dissociait de cette pagaille. Il se leva et se retira en faisant un signe de tête majestueux aux seigneurs déconfits, sa prestance royale uniquement altérée par un semblant de sifflotement aux lèvres alors qu'il sortait tranquillement de la salle du trône.

— Arrêtez! beugla le prince Khelsh.

Celie pouvait lire sur ses lèvres épaisses, mais Rolf ne se retourna pas.

— Hourra! se remit à rire Celie, en s'éloignant de la longue-vue. Rolf a réussi!

Elle n'avait pas eu conscience jusqu'alors d'à quel point elle avait été nerveuse que Rolf ait à signer l'entente de succession. Elle était profondément terrifiée, intérieurement, qu'une fois les papiers signés, Khelsh le fasse assassiner immédiatement. Elle pouvait voir que Lilah ressentait la même chose, car sa sœur tremblait visiblement tandis qu'elle s'éloignait de la longue-vue pour se rendre à tâtons à la table et à un tabouret.

— Merci mon Dieu! Ils n'ont pas accusé Rolf de leur avoir joué un tour, commenta Lilah, posant son front sur la table.

— Pourquoi l'auraient-ils fait? dit Celie pour écarter la peur de Lilah. Ce sont plutôt les bonnes que nous devrions avertir. Khelsh sait déjà que le château ne l'aime pas; il supposera certainement que c'est le château lui-même qui est responsable de ces facéties.

Elle se frotta les mains ensemble. Elle avait maintenant en tête de nombreux autres tours.

— Celie, lui dit Lilah sur un ton qui avait l'air d'une mise en garde.

— Li-lah, l'imita Celie. Regarde à quel point ça s'est bien passé ! Demain matin, ils constateront que leurs manches sont tachées d'encre, et beaucoup d'autres coutures se déferont encore… Nous ne pouvons pas arrêter maintenant !

— Tu as absolument raison, dit Rolf qui arrivait dans la tour. Je n'ai pas eu autant de plaisir depuis des semaines. L'air de Khelsh lorsqu'il a levé son bras ! Ça n'avait pas de prix !

Il sourit et ferma les yeux, savourant la scène une autre fois.

— Et le seigneur Feen, renchérit Celie avec enthousiasme. Lorsque ses robes ont *glissé*… Lilah, tu es fantastique !

Lilah baissa le regard, modeste.

— Mais nous devons absolument faire bien attention, prévint-elle finalement.

— Vraiment ? demanda Rolf en se passant la main dans les cheveux. Ils supposeront sûrement que c'est le château qui s'en prend à eux, ne crois-tu pas ? Ils ne nous soupçonneront pas à moins que nous nous fassions prendre en flagrant délit. Et nous ferons très attention, à cet égard. Les domestiques travaillent de concert avec nous, ainsi que Lulath. Je crois qu'un monde de possibilités s'offre à nous.

— J'ai déjà un plan, annonça Celie en levant la main comme si elle s'adressait à son tuteur.

— Ah oui ? répondit Rolf, les yeux étincelants. Qu'est-ce que c'est ?

179

— Je ne crois pas que tu apprécieras, Lilah, s'excusa Celie sans détour. Le plan nécessite du fumier... une grande quantité de fumier.

Rolf se remit à rire.

Chapitre 19

Ils allèrent chercher du fumier comme prévu, et ils en mirent sous les semelles des souliers, en cachèrent sous les lits et en déposèrent dans les coins des placards. Rolf et Celie se rendirent aux écuries au beau milieu de la nuit et chargèrent leur brouette à ras bord. Le château transforma complaisamment les escaliers en rampes et aligna les chambres des conseillers dans un même couloir. Celie fit la majeure partie du travail avec sa cape antibruit solidement attachée, et Rolf lui vint en aide en s'occupant des placards qui se trouvaient chacun dans une salle d'habillage à part. Ils prenaient bien note des conseillers qui bénéficiaient toujours de grandes suites puisque c'était là possiblement un indice que ces derniers n'étaient pas de fervents partisans de Khelsh ni de l'émissaire.

Une bonne les prit sur le fait, mais elle accepta, en ricanant, de les aider.

— J'ai déjà fait tous les lits en portefeuille ce matin, leur confia-t-elle en se couvrant les lèvres pour étouffer un rire.

— Vous avez fait quoi ? demanda Celie en clignant des yeux tandis que Rolf se mettait à rire.

— J'ai plié les draps en deux d'un seul côté et je les ai coincés bien solidement. Ainsi, lorsqu'on se glisse au lit, les jambes se retrouvent emprisonnées en plein milieu, expliqua-t-elle.

— Oh, j'aurais aimé voir l'expression du seigneur Feen, s'exclama Rolf en étouffant de sa main un autre rire.

Les yeux de Celie s'écarquillèrent en imaginant la scène, et elle se mit à ricaner elle aussi. Elle avait une idée pour la bonne, et pour toutes les autres bonnes qui seraient prêtes à donner un coup de main.

— Videz-vous les pots de chambre ? demanda Celie.

— Oui, répondit la bonne. Certains d'entre eux. Bessy et Suze font les autres.

— Seraient-elles prêtes à collaborer ?

— Peut-être, commença lentement la bonne. Si vous…

— Vous avez ma promesse solennelle, lui promit Rolf, vous comme toutes les autres bonnes, ainsi que tous les cuisiniers, valets et palefreniers, que si vous êtes renvoyés après avoir été trouvés coupables de nous aider à commettre des actes de nuisance à l'endroit du Conseil, vous serez réengagés dès que je me serai débarrassé de Khelsh.

— Très bien, acquiesça la bonne. Qu'aviez-vous en tête, princesse Cecelia ?

— Et si tous les pots de chambre… disparaissaient tout simplement ? demanda Celie, la tête inclinée sur le côté et un sourire en coin.

Les yeux et la bouche de l'autre demoiselle s'arrondirent, et elle se couvrit les lèvres encore une fois pour étouffer un rire.

— Nous les descendons tous à la salle de nettoyage pour les laver, dit-elle lorsqu'elle cessa de ricaner. Ce sera très facile de faire disparaître ceux des membres du Conseil, et de cet affreux prince étranger ! Je m'en chargerai demain matin !

Elle fit la moue en réfléchissant.

— Et l'autre prince ? Celui de Grath ?

— Oh, c'est quelqu'un de bien, la rassura rapidement Celie. En fait, si vous avez besoin d'aide, vous pouvez vous adresser au prince Lulath. Il est assurément de notre côté.

La bonne hocha la tête.

— J'en suis ravie. Il a été très gentil. Il peut être parfois agaçant — il est toujours en train de sonner pour qu'on vienne nourrir ses chiens ou qu'on apporte des serviettes supplémentaires ou des draps propres —, mais j'imagine que c'est plus en raison de son côté enfant gâté que par méchanceté.

— Exactement, confirma Rolf, un scintillement dans les yeux en entendant cette description de Lulath. Nous devrions maintenant retourner à nos affaires, avant que le soleil ne se lève.

— Votre Majesté, le salua la bonne en faisant la révérence. Votre Altesse.

— Au revoir, et bonne chance, dit joyeusement Celie.

Rolf et Celie terminèrent rapidement de répandre le fumier, laissant la dernière pelletée sous la table dans le bureau du Conseil. Rolf rapporta la brouette aux écuries, et Celie se dirigea vers sa chambre dans le but d'y récupérer des chaussettes propres, étant donné qu'elle en avait accidentellement empaqueté un nombre impair avant de s'enfuir. À son grand agacement, un gros cadenas était accroché à sa porte. Elle n'eut aucun doute que c'était le prince Khelsh qui en avait la clé. Elle se glissa dans le couloir pour aller vérifier la chambre de Lilah, et constata que la porte était là aussi cadenassée.

Marmonnant des mots malveillants, elle parcourut le couloir en cherchant l'escalier qui menait à la tour des longues-vues. Elle tournait et retournait dans sa tête les mauvais coups qu'ils venaient de jouer, et se demanda ce qu'ils pourraient faire d'autre pour nuire au Conseil.

— Celie!

Le prince Lulath s'était retrouvé devant elle à un tournant du couloir. Il lui sourit et lui empoigna gentiment une main. Elle lui rendit son sourire et caressa de sa main libre le chien qu'il tenait sur lui.

— Je suis si content que je vous aie trouvée, dit-il en baissant la voix. Je voulais vous dire : j'ai écrit à mon père, et écrit aussi la lettre au père de Khelsh. Le jour même de notre conversation.

— Oh, merci!

— Et j'ai apporté ceci, pour vous trouver.

Le prince enleva de son épaule la courroie d'un gros sac de cuir et déposa ce dernier sur le plancher, entre eux.

Celie regarda le sac, puis Lulath, les sourcils relevés. Le prince souriait avec charme.

— J'ai pensé qu'il y avait des choses que vous n'avez peut-être pas avec vous à l'endroit où… vous êtes…

Il cessa de parler, légèrement gêné.

Celie se pencha et regarda dans le sac. Il y avait un pain de savon parfumé enveloppé dans du papier, une pile de mouchoirs propres pressés, retenus par un ruban, quelques livres, une boîte de bonbons importés de Grath, et un petit miroir à long manche en cuivre.

— Qu'est-ce que c'est ?

Celie sortit le miroir pour mieux le regarder.

— C'est pour… pour vérifier dans les coins. Les couloirs. Les coins des couloirs, lui expliqua Lulath.

Voyant qu'elle était toujours confuse, il prit le miroir et se rendit au bout du couloir, lui montrant comment le placer pour qu'elle puisse voir dans l'autre couloir perpendiculaire.

— En vérité c'est un objet pour… les médecins des dents ?

— Les dentistes ?

— Oui !

Il rayonnait.

— Mais je l'emprunte pour vous. J'ai pensé à vous aider pour votre espionnage.

— C'est génial ! s'exclama-t-elle.

Elle prit le manche et regarda dans le miroir, s'exerçant à trouver les inclinaisons qui lui permettaient d'observer dans l'autre couloir sous divers angles.

— Merci beaucoup !

— Je vous en prie, beaucoup !

— Il serait préférable que je vous avertisse, commença Celie en mettant le miroir dans le sac, et celui-ci sur son épaule. Nous venons de parler à l'une des bonnes. Elle va cacher les pots de chambre des membres du Conseil demain, mais juste au cas où elle oublierait et cacherait le vôtre…

Elle lui fit une drôle de mimique.

— Ah, je serai averti, dit Lulath, en se mettant à rire. Vous êtes très rusée !

— Merci, rougit Celie. Nous avons aussi décousu certaines coutures de leurs vêtements, et trempé leurs manches dans de l'encre. Et Rolf et moi venons de terminer d'étaler du fumier sous les semelles de tous leurs souliers.

Lulath tapa doucement des mains, secouant la tête et grognant de rire.

— Ils s'enfuiront bientôt, j'espère.

— C'est ce que nous souhaitons aussi, confirma-t-elle avec ferveur.

Lulath fit une révérence, et Celie, alourdie par le poids du sac, lui fit un simple signe de tête. Elle tourna le coin, trouva l'escalier de la tour des longues-vues et monta d'un pas lourd. Rolf était déjà passé, l'informa Lilah, puis il était reparti dormir dans son propre lit. Celie montra à sa sœur les choses que Lulath lui avait données, et elle découvrit la raison pour laquelle le sac semblait si *épais* : il renfermait dans son fond une cape de velours épaisse de la même couleur tourbe foncée que le cuir du sac.

— Oh, c'est magnifique, s'exclama Lilah en la caressant.

Elle la tint dans les airs. La cape était exactement de sa taille.

— Pogue sera jaloux, déclara Celie, sentant ses paupières s'alourdir.

Elle vacilla sur place un instant, puis se secoua.

— Ne sois pas ridicule, c'est seulement... oh, pauvre chérie !

Lilah remarqua finalement à quel point Celie était fatiguée, et elle la guida jusqu'à son nid de couvertures. Elle lui enleva ses chaussures et ses chaussettes, et l'aida à s'installer confortablement, la couvrant de la cape de velours.

— Pour le moment, c'est toi qui la prends, offrit-elle généreusement.

— Garde-moi des bonbons, marmonna Celie.

— Oui, oui, promit Lilah en la bordant de son mieux.

— J'espère que Pogue trouvera bientôt maman, papa et Bran, chuchota Celie en s'endormant.

— Je l'espère aussi, murmura Lilah, en embrassant Celie sur le front.

Chapitre 20

— C'était très, très méchant, dit Celie.
        Mais la cape antibruit absorba tous les sons de
ses mots avant qu'ils n'atteignent ses propres oreilles.

— Vraiment très méchant, ajouta-t-elle.

Une semaine déjà s'était écoulée depuis ce que Rolf
avait surnommé la Nuit du grabuge au fumier. Le jour
suivant avait été un pur délice : les conseillers se déplaçaient d'un pas hésitant, l'air dégoûté, regardant d'un œil
soupçonneux toutes les personnes à qui ils s'adressaient,
jusqu'à ce qu'ils comprennent que l'odeur émanaient
d'eux. On pouvait entendre dans tout le château leurs cris
lancés à l'endroit des valets pour que ces derniers vien-
nent racler leurs souliers, et Rolf avait bien ri de devoir se
couvrir le nez avec un mouchoir en prétendant qu'il était
trop sensible pour rester dans la même pièce que les
conseillers avec leurs souliers souillés.

Depuis, un certain nombre de pots de chambre avaient disparu, de même que les pots de remplacement que les bonnes avaient par chance «trouvés» le lendemain dans un placard peu utilisé. Les couturières avaient été très occupées à réparer les robes, qui s'étaient mystérieusement décousues de nouveau quelques heures plus tard seulement, et les fenêtres des chambres à coucher des conseillers avaient été laissées ouvertes durant une pluie torrentielle, ce qui avait eu pour effet de remplir les pièces de flaques d'eau et de ruiner des livres et des documents.

La deuxième ronde de disparition de pots de chambres et de fenêtres ouvertes avait été purement l'œuvre du château, et les enfants Malicieux l'avaient remercié à maintes reprises, en signe de reconnaissance. Il leur insufflait ainsi une nouvelle énergie et il leur laissait savoir que non seulement il approuvait ce qu'ils faisaient, mais qu'il était constamment prêt à les aider.

À leur réveil au matin suivant la Nuit du grabuge au fumier, les conseillers avaient découvert que leurs chambres étaient maintenant alignées dans un couloir, et que leur bureau privé était désormais situé à l'extrémité de ce dernier. Ils ne s'en soucièrent guère au début, jusqu'à ce qu'ils constatent qu'ils étaient maintenant aussi loin qu'il était possible de l'être, tant de la salle à manger que de la salle du trône. En outre, la plupart de leurs chambres étaient beaucoup plus petites qu'auparavant, et elles semblaient n'avoir de fenêtres que lorsqu'il pleuvait.

Toutes les inquiétudes possibles de Lilah, qui se tourmentait de ce que le Conseil puisse retourner sa colère contre Rolf ou les domestiques, se révélèrent infondées.

Khelsh se mit immédiatement à rugir contre les vilains tours du sale château. Certains des conseillers, à la satisfaction de Celie, avaient l'air carrément effrayés à l'idée que le château leur joue des tours, et ils avaient commencé à discuter ensemble dans les coins et recoins, à voix feutrée, tout en lançant des regards nerveux autour d'eux.

C'était exactement le but visé par les enfants Malicieux. Celie avait décidé de retourner au petit placard attenant au bureau privé du Conseil afin d'espionner les membres, qui se tortillaient, et pour réfléchir par la même occasion à de nouvelles manières de les punir. Elle constata plutôt que Khelsh avait décidé qu'il était temps de mettre fin au sabotage.

De mettre fin aux actions du château lui-même.

— Depuis que je suis ici, dit Khelsh, mes sorciers essaient maîtriser le monstre que vous appelez château Malicieux.

— Que voulez-vous dire, Votre Altesse ? demanda l'émissaire, nerveux.

Tous ceux qui étaient nés à Sleyne et y avaient été élevés, comme l'émissaire, avaient beaucoup de respect pour le château. Un respect que Khelsh ne partageait visiblement pas.

— Je veux dire, l'arrêter de grandir, de rapetisser, ou de déplacer les portes. L'arrêter de cacher stupidement les pots à pipi.

Le visage sévère de Khelsh rayonnait de suffisance.

Sur la table devant lui se trouvait un paquet bosselé attaché avec une corde de soie. Khelsh défit le nœud et laissa tomber le tissu sur les côtés. Il regarda le contenu avec une fierté évidente, accompagnée de force gestes, mais le reste des conseillers semblèrent tout au plus déconcertés.

Celie ne voyait pas non plus ce que renfermait le paquet, mais elle crut sentir le château frissonner, légèrement. Le seigneur Feen le remarqua lui aussi, et regarda autour de lui, mal à l'aise.

— Qu'avez-vous là, Votre Altesse ?

La voix du vieil homme tremblait plus qu'à l'habitude.

— De la poussière, répondit Khelsh, qui la manipulait de ses doigts. Seulement de la poussière. Et des... choses seulement les sorciers connaissent. *Mes* sorciers.

Il sourit avec une fierté farouche et prit dans ses mains quelques particules grises légèrement plus grosses que les autres à l'intérieur du tissu.

— Vous connaissez cette poussière ?

— Provient-elle du château ?

L'émissaire avait l'air blême, comme s'il ne voulait pas entendre la réponse.

— Da ! acquiesça Khelsh dont le sourire élargi laissait paraître une dent en or. De la poussière du château. Difficile à obtenir. Maintenant, nous finissons ce que les sorciers ont commencé et nous observons comment notre petit prince... pardon ! notre roi Malicieux ! se sentira lorsque son château ne sera que pierres mortes !

Le prince Khelsh ricana d'un air méprisant et sortit une petite bouteille noire de la poche de sa robe. Il l'agita au visage blême de l'émissaire.

— Soyez libre de joindre le chant : *macree, salong, alavha* !

— *Macree, salong, alavha, macree, salong, alavha*, répéta-t-il encore et encore.

Pendant qu'il disait ces mots, accompagné de quelques conseillers hésitants, il déboucha la petite bouteille et versa son contenu gluant sur la poussière dans le tissu. Il en résulta une boue dégoûtante qu'il mélangea avec une petite baguette d'argent extirpée de sa poche, jusqu'à obtenir une épaisse motte gluante.

— *Macree, salong, alavha, jenet*!

Un grognement puissant sembla soudainement s'élever de toutes les pierres du château, et tous les murs semblèrent agités de soubresauts avant de retomber en place dans un crissement strident. Au même moment, une grande douleur traversa Celie, comme si un gros coup lui avait été asséné sur la tête, atteignant tous ses nerfs du côté gauche. Elle tituba et tomba contre le mur.

Le château était mort.

Celie ne pouvait s'expliquer quoi que ce soit, mais il y avait cette très étrange impression que quelque chose, une partie des pierres, avait simplement *disparu*. Le château n'était plus vivant, il ne l'écoutait plus, il ne se préparait plus à s'agrandir ou à se modifier. Il était parti, mort.

— Non!

Celie, criant sa peine, fondit en larmes dans l'escalier de la tour des longues-vues.

Lilah, qui ne pouvait l'entendre à cause de la cape antibruit, poussa elle-même un cri lorsque Celie surgit de la porte en haut des marches pour se précipiter vers elle.

— Celie! Qu'est-ce qui ne va pas?

Lilah la prit dans ses bras, lui caressa le dos jusqu'à ce qu'elle se calme, et l'aida à enlever la cape pour qu'elle puisse parler.

— Ils l'ont tué ! Ils ont tué le château !

— Quoi ? Je ne...

Lilah se tut, et retourna son visage affligé pour observer la tour.

— Ça vient tout juste de se... est-ce que c'était comme si quelque chose t'avait traversé le corps ?

Lilah mit une main sur le dessus de sa tête, appuyant sur ses cheveux comme pour se rappeler la douleur.

— Oui, sanglota Celie. Le prince Khelsh a utilisé un sortilège, un sortilège qui a tué le château !

— Qu'allons-nous faire ?

Lilah, les bras tremblants, serra Celie encore plus fermement contre elle.

— Qu'allons-nous..., s'arrêta-t-elle soudainement. La porte !

Les deux sœurs se tournèrent, horrifiées, en direction du mur où se trouvait normalement la porte. Elle n'y était plus. Toutes les portes, sauf celle qui menait au judas du bureau privé, avaient disparu.

Lilah et Celie étaient coincées dans la tour.

Tous les muscles de Celie se relâchèrent. C'est à peine si elle avait la force de lever la tête. Ses parents avaient disparu, le château était mort, et Lilah et elles étaient prisonnières d'une tour. Des larmes lui coulèrent sur les joues et dégouttèrent de sa mâchoire.

— Celie ? Celie ?

Lilah l'étendit doucement sur leur nid de couvertures et lui secoua les épaules.

— Celie!

— Nous allons mourir, murmura Celie.

— Celie, ne dis pas de telles choses, répliqua Lilah.

Mais son ton n'était pas très convaincant.

— Nous sommes coincées ici. Le château est mort, dit Celie, dont la voix n'était plus qu'un faible murmure.

— Qu'a dit Khelsh ? demanda Lilah en regardant intensément les yeux de Celie. A-t-il dit qu'il allait tuer le château ? Qu'a-t-il fait ?

Celie devait réfléchir : elle avait de la difficulté à se souvenir.

— Il a dit... il a dit qu'il pouvait l'empêcher de bouger, de changer. Ça veut dire que le château est mort, non ? Je peux sentir qu'il est mort !

Il y avait quelque chose d'étrange en elle. C'était comme avoir faim, sauf que l'idée de manger la rendait malade. Ses parents étaient partis, mais elle n'avait jamais vraiment cru qu'ils étaient morts. Mais maintenant le château était mort, ses pierres n'étaient plus que de la pierre ; la sensation de chaleur, d'écoute, n'y était plus, et le silence qui en résultait résonnait à ses oreilles et la vidait.

— Ressaisis-toi, Celie ! la pria Lilah en la secouant de nouveau, avec plus de vigueur. Ne me fais pas ça !

D'autres larmes ruisselèrent sur le visage de Celie, mais il s'agissait cette fois-ci de celles de Lilah. Les sœurs étaient blotties l'une contre l'autre sur leur lit de fortune, Celie étendue sur les cuisses de Lilah, et Lilah essayant, de ses mains tremblantes, de relever sa sœur en position assise.

— Ne le sens-tu pas, toi aussi ?

La voix de Celie se limitait toujours à un murmure.

— Bien sûr que je le sens, sanglota Lilah, reniflant et s'essuyant le visage dans sa manche. Le château… n'est plus. Ce n'est que pierres, ardoises et autres *choses* diverses. J'aimerais dire à Khelsh ce que j'en pense, dit-elle durement. Non. J'aimerais le faire tomber dans le plus gros tas de fumier qui puisse se trouver dans la cour des écuries.

Celie s'assit.

— Je ne veux pas mourir ici, annonça-t-elle à Lilah.

— J'en suis soulagée, répondit Lilah avec un petit rire qui tenait plutôt du sanglot. Je ne veux pas mourir ici, ni nulle part ailleurs.

— Je veux que Khelsh et l'émissaire paient pour ce qu'ils ont fait, confia Celie. Finies les taches d'encre sur les manches ; je veux qu'ils sortent du château pour que nous puissions — elle s'arrêta, la voix étranglée par un léger sanglot —, pour que nous puissions porter le deuil convenablement.

— D'accord, acquiesça Lilah. Mais comment faire ? Nous avons un peu de nourriture ; alors nous se souffrirons pas de la faim… du moins pas aujourd'hui. Mais il n'y a pas de sortie.

Celie se remit péniblement sur ses pieds, marchant accidentellement sur la main de Lilah.

— Désolée.

Lilah se secoua la main et se leva elle aussi.

— Les longues-vues fonctionnent-elles toujours ?

Celie jeta un coup d'œil dans l'une tandis que Lilah se rendait à une autre.

— Eh bien, seulement comme des longues-vues ordinaires, dit Celie après un moment, répondant à sa propre question.

Elle regarda dans chacune, juste pour s'en assurer. Les enfants n'utilisaient pratiquement jamais la lunette orientée vers le nord puisqu'il n'y avait en cette direction que des champs, et, au-delà des champs, des montagnes. Mais, en se dégageant de cette longue-vue, Celie remarqua quelque chose par la fenêtre.

Il y avait un toit plutôt plat à environ quatre mètres en contrebas de la tour du côté nord. On pouvait aussi apercevoir un balcon situé un peu plus en retrait, où il semblait assez facile de pouvoir se glisser à partir du toit. Toutefois, il fallait d'abord arriver à sortir de la tour.

— Que regardes-tu?

Lilah la rejoignit à la fenêtre. Elle regarda en bas et eut le souffle coupé.

— Celie, non! C'est beaucoup trop bas pour sauter!

— Je ne sauterai pas, affirma raisonnablement Celie. Tu vas me faire descendre.

— Te faire descendre? Avec quoi?

— Avec la corde que le château a mise ici, lorsqu'il a dès le début fabriqué cette pièce!

Celie avait presque oublié les objets qui se trouvaient dans la tour des longues-vues lorsqu'elle l'avait découverte. D'abord, le manuel de conversation en vhervhinois, puis la boîte de biscuits durs déposée et abandonnée par les enfants dans un coin. Et une corde. Un rouleau de corde qui avait été rangé dans le gros coffre par Lilah, dans le but de mettre de l'ordre, puis oublié par tous.

— Je crois que le château savait que tout cela allait se produire, déclara Celie.

Et elle sentit deux autres grosses larmes lui couler sur les joues.

Chapitre 21

— Je ne sais pas si c'est une bonne idée, hésita Lilah.

— Lilah, dit patiemment Celie en déployant la corde pour déterminer sa longueur, tu viens à peine de dire que tu voulais trouver du fumier pour y pousser Khelsh ! Comment pourrons-nous le faire si nous sommes enfermées ici ?

Lilah tira sur sa robe pour la replacer, puis elle ajusta ses manches de dentelle.

— D'accord, acquiesça-t-elle finalement. L'une d'entre nous doit y aller. Je…

— Non, il faut que ce soit moi, l'interrompit Celie. Je ne suis pas assez forte pour te faire descendre, mais toi si, fit-elle remarquer.

— Mais… s'objecta Lilah en examinant soigneusement la corde et la fenêtre. J'allais l'attacher à… Il n'y a rien pour l'attacher, conclut-elle sur un ton défait.

Celie fit simplement un signe de tête. Elle avait déjà constaté la chose. La table n'était pas assez lourde, et il n'y avait rien d'autre dans la pièce que le coffre, à peine plus lourd d'ailleurs que la table.

— D'accord, dit Lilah, les mains sur les hanches. Tu vas devoir y aller. Mais sois particulièrement prudente. Ne va pas affronter Khelsh ; trouve seulement Rolf et demande-lui ce qui arrive. Et si tu as l'occasion de rapporter des victuailles, fais-le.

— Évidemment, répondit Celie. Ce sera peut-être la dernière nourriture que nous allons pouvoir manger avant un certain temps.

Elle fit passer une extrémité de la corde derrière son dos pour la ramener ensuite à l'avant d'elle sous ses bras, puis elle fit un nœud devant sa poitrine.

— Je sais, il serait beaucoup trop dangereux que tu partes tous les jours à la recherche de nourriture, commenta Lilah en s'approchant de Celie pour l'aider à faire un nœud plus solide.

— Et je vais renvoyer tous les membres du personnel, lui confia Celie.

Lilah eut le souffle coupé.

— Tous ? Pourquoi ?

— Tous, confirma fermement Celie. Toutes les bonnes, tous les garçons d'écurie et tous les valets ; je veux qu'ils cessent de travailler et qu'ils s'en aillent. Nous verrons ce que fera Khelsh quand il n'aura plus de domestiques à diriger.

Les yeux de Lilah étincelèrent.

— C'est brillant, souffla-t-elle.

Celie tira sur le nœud.

— Parfait, j'y vais.

Pendant qu'elle ramassait quelques objets, tels son atlas et le miroir à manche de Lulath, Celie se dit qu'elle aurait souhaité avoir des vêtements de garçon à se mettre, mais elle ne pouvait rien y faire. À la dernière minute, elle mit quelques biscuits durs dans sa ceinture, au cas où elle ne trouverait rien de mieux à manger. Elle remonta ensuite ses jupes et s'assit sur le rebord de la fenêtre. Le toit semblait beaucoup plus bas ; les tuiles rouges et rondes sur lesquelles elle devrait marcher lui réservaient probablement de mauvaises surprises, mais elle n'avait pas d'autre choix. Il n'y avait pas d'échelle, le seul escalier disponible se terminait en cul-de-sac, et elle serait incapable de faire descendre Lilah.

— Euh, pourrais-tu te retourner, et, euh, te suspendre par les mains ?

Lilah la prit par les épaules et essaya de l'aider à se placer. Par chance, le rebord de fenêtre était plutôt large.

— Si tu glisses, je ne crois pas que je pourrai te retenir.

Celie se releva sur une hanche, le corps complètement entortillé et les mains en sueur.

— Attends ! Fais passer la corde autour d'un pied de table, et utilise-le comme treuil.

— Comme treuil ?

— Comme le font les alpinistes, précisa Celie.

Elle essaya de se rappeler les enseignements d'un livre d'escalade qu'elle avait déjà lu auparavant. C'était le livre préféré de Bran à 10 ans, mais Celie l'avait trouvé quant à elle plutôt ennuyeux. Elle se souvenait toutefois de certains détails portant sur l'enroulement des cordes autour de pointes d'ancrage, pour que le poids du grimpeur soit plus facile à soutenir par son compagnon.

— Enroule la corde autour d'un pied de table, répéta-t-elle, pour que tu ne te déboîtes pas les bras quand je descendrai.

— Je vais essayer, dit Lilah, sceptique.

Les sourcils froncés d'inquiétude, elle se dépêcha d'enrouler la corde autour du pied de table le plus près, elle enroula le reste de la corde autour de ses poings, la tenant solidement, puis elle se raidit les jambes.

— Vas-y lentement, s'il te plaît, pria-t-elle Celie.

— D'accord, grommela celle-ci.

Elle se retourna de façon à s'appuyer le ventre contre le rebord de la fenêtre. Ses jupes étaient totalement enroulées autour de ses jambes, et elle espérait que personne ne regarde d'une autre fenêtre en sa direction. Elle se laissa reculer en agitant les jambes jusqu'à n'être retenue que par les bras. Elle se laissa glisser davantage, jusqu'à ce qu'il ne reste plus que ses mains sur le rebord, tout le reste de son corps appuyé contre la tour. Elle poussa un petit cri aigu.

— Es-tu morte?

Lilah criait presque, elle aussi.

— Non, répondit Celie d'une voix haletante. Je compte jusqu'à trois et je me laisse tomber.

— D'accord.

— Un, deux, et elle échappa un autre cri. Trois!

Il lui fallut en fait une minute de plus avant de se laisser aller. Terrorisée, elle gardait les doigts crispés sur le rebord de fenêtre en pierre. Mais la corde se tendit d'un coup sec pendant que Lilah, dans un chaos de cris inarticulés, se démenait pour la retenir. Celie décida qu'il valait mieux se laisser tomber que rester accrochée ainsi toute la journée. Et c'est ce qu'elle fit. Elle fut immédiatement toute en sueur, et, quand la corde se coinça sous ses bras, la douleur la fit gémir. La pierre rugueuse du mur du château lui érafla la joue, et elle essaya de s'y accrocher par les doigts et les orteils tandis que Lilah la faisait descendre de quelques centimètres à la fois, en laissant glisser la corde entre ses doigts.

Lorsque ses pieds touchèrent les tuiles du toit, Celie poussa un cri de joie. Lilah courut à la fenêtre et regarda en bas, laissant la corde lâche tomber jusqu'à heurter la tête de Celie.

— Ouille! Attention!

— Oups!

Lilah saisit la corde et la tira vers elle.

— Ça va? As-tu mal?

— Non, je vais bien, répondit Celie.

Mais ses genoux lâchèrent, et elle s'effondra sur le toit. Comme elle se mettait à glisser, elle dut coincer son pied dans la gouttière de cuivre terni pour s'empêcher de tomber carrément au sol. Au-dessus d'elle, elle entendit Lilah prononcer des mots qu'elle avait dû apprendre d'un des garçons d'écurie, ou de Pogue, mais Celie était trop occupée à reprendre son souffle pour s'en préoccuper.

— Et maintenant, ça va?

— Oui, répondit Celie d'une voix rauque.

— Je crois que je vais être malade, annonça Lilah.

— Retiens-toi, lui dit Celie en détachant la corde de sa poitrine. Je vais bien. Attache la corde au pied de la table, et je la tirerai quand je serai prête à remonter.

— Sois prudente, lui ordonna Lilah pour la centième fois.

— Je vais dire à tout le monde où tu te trouves, dit Celie. Juste au cas où il m'arriverait quelque chose. Les serviteurs pourront te faire sortir.

— Tout va bien aller, l'encouragea Lilah d'un air courageux. Bonne chance !

Elle lui fit un signe de main maladroit.

Celie lui rendit son salut et se remit sur pied. Elle le fit lentement, une main appuyée sur les pierres de la tour, priant sans cesse intérieurement. Mais elle ne glissa pas, non plus que les tuiles, même si ses pensées allaient constamment dans ce sens. Elle se retourna lentement et se mit à marcher penchée comme une très vieille femme. Elle traversa ainsi le toit jusqu'à ce qu'elle arrive au-dessus du balcon.

Elle était très concentrée à mettre un pied devant l'autre sur les tuiles, si bien que, quand Lilah cria son nom, elle sursauta tellement qu'elle faillit tomber.

— Eh ! cria de nouveau Lilah. Le balcon est juste en-dessous de toi.

— Merci, lui répondit Celie sans se retourner.

Elle s'accroupit en faisant très attention, rampa jusqu'au bord du toit et agrippa la gouttière. En regardant vers le bas, elle pouvait voir les dalles du balcon. Elle se laissa glisser, assise, jusqu'à ce que ses jambes pendent au-dessus du vide, puis elle se poussa avec les mains.

L'arrière de sa jupe se coinça dans la gouttière et se déchira à grand bruit. Celie ne put maîtriser sa chute, se faisant un bleu aux rotules et s'éraflant les paumes en touchant le balcon.

— Ouille! Quelle foutue malchance…

— Votre Altesse?

Celie se releva d'un coup, effrayée, alors que s'ouvrait la grande porte donnant sur le balcon. Une bonne au long tablier blanc, le visage tout aussi blanc, se tenait là devant elle.

— Oh, dit Celie en se rassoyant sur ses talons, ramenant ses jupes sur ses jambes meurtries. Bonjour.

— Votre Altesse!

La bonne laissa tomber le panier qu'elle transportait, pour se précipiter vers Celie et l'enlacer par le cou en pleurant.

— Nous pensions que vous étiez morte!

— Non, je ne le suis pas, la rassura Celie en se défaisant doucement de son étreinte. Pas du tout. Ma sœur non plus.

— Dieu soit loué!

La demoiselle leva les yeux vers le ciel et murmura une prière. Elle avait environ l'âge de Lilah. Celie pensa qu'elle était l'une des femmes de chambre.

— Personne ne vous avait vues depuis des jours, et, quand le château s'est… éteint…, nous avons craint le pire!

— Lilah et moi étions enfermées dans une tour, l'informa Celie. J'ai réussi à en sortir, mais je dois faire certaines choses.

— Bien sûr, dit la bonne, se ressaisissant rapidement.

Elle se releva, replaça son tablier et aida Celie à se mettre debout. Elle claqua la langue en apercevant l'arrière de la robe de Celie.

— Elle est complètement abîmée, confirma-t-elle. Mais attendez, pourquoi ne mettriez-vous pas ma plus belle robe ?

Elle entra à l'intérieur, ramassa le panier qu'elle transportait avec elle, puis le tendit à Celie.

— Pourquoi vous promenez-vous avec votre plus belle robe ? demanda Celie en prenant le panier et regardant son contenu. Pourquoi transportez-vous toutes vos choses ?

Elle leva le regard vers la bonne.

La demoiselle rougit, mais elle lui lança un regard de défi.

— Je retourne chez ma mère, répondit-elle. Je ne resterai pas ici sous les ordres de cet horrible étranger, surtout pas depuis que le château est devenu aussi bizarre et tranquille. J'ai averti Madame la gouvernante. Trois autres filles ont déjà fait de même.

— Parfait, commenta Celie, au grand étonnement de la bonne. C'est ce que je venais annoncer à tous. Je veux que tous les membres du personnel soient sortis du château d'ici la tombée de la nuit. Vous devriez tous partir. Madame la gouvernante aussi.

— Nous devrions ?

— Oui. Nous allons voir à quel point le prince Khelsh se plaira ici lorsqu'il n'y aura plus personne pour lui faire ses repas ou allumer le feu dans sa chambre.

La bonne sourit de joie et aida Celie à changer de robe. Le vêtement était simple, mais d'un bleu plaisant, et à peine trop long.

— Je vais alors simplement quitter, dit la bonne, la voix hésitante. Savez-vous comment je peux sortir?

— Je crois que oui, répondit Celie en sortant son atlas du corsage de sa robe. Je fais le plan du château depuis un certain temps.

— Wow, comme vous êtes ingénieuse, la complimenta la bonne, les yeux ronds.

Elle se rappela ensuite les bonnes manières et fit une révérence.

— Votre Altesse.

— Je crois que, si vous tournez à gauche au prochain couloir, suggéra Celie en cachant sa fierté d'avoir été complimentée, vous pourrez descendre l'escalier principal jusqu'aux écuries. Si vous croisez d'autres serviteurs, assurez-vous de leur dire qu'ils peuvent partir.

— Oui, princesse Cecelia, acquiesça la bonne, tout en faisant à nouveau la révérence.

Elle fila à toute allure.

Au couloir suivant, Celie tourna du côté opposé à celui où elle avait envoyé la bonne et elle suivit les indications de l'atlas jusqu'aux cuisines. Elle descendit plusieurs escaliers et traversa une grande pièce qui avait probablement déjà été une galerie de portraits, mais il n'y restait maintenant qu'une armure rouillée, entassée dans un coin. Deux virages à droite et un escalier en colimaçon la menèrent aux cuisines.

Poussant un grand soupir, imaginant le doux arôme du pain et l'accueil que lui réserverait la cuisinière, Celie ouvrit la porte.

Elle y trouva le chaos le plus total.

Les bonnes pleuraient. Le préposé aux couteaux était en train de crier, et il y avait même un chien dans un coin qui hurlait à l'unisson. Un plat brûlait, et une grosse pile de pelures de pommes de terre gisait au beau milieu du plancher. Celie se mit sur la pointe des pieds dans le but d'apercevoir la cuisinière, qu'elle repéra finalement dans le coin opposé, assise par terre à se balancer d'avant en arrière, le tablier par-dessus la tête.

Remontant ses jupes, Celie grimpa sur un tabouret, puis sur l'une des longues tables en bois. Elle cria pour demander le silence mais, comme personne ne l'entendait, elle prit une grosse casserole en cuivre et une cuillère en bois, puis elle commença à taper sur le récipient.

— Taisez-vous !

Un silence s'installa finalement dans la cuisine, rompu seulement par un reniflement occasionnel. Même le chien se tut abruptement pour la regarder, la gueule grande ouverte.

— Princesse Cecelia !

La cuisinière traversa la cuisine à la hâte et fit descendre Celie de la table pour la serrer fort dans ses bras. Le visage collé contre l'impressionnante poitrine de cette femme, Celie lui tapota la hanche, le seul endroit qu'elle arrivait à atteindre.

— Il ne vous a pas tuée !

La voix stoïque de la cuisinière se brisa sur ces mots.

— Non, répondit Celie, qui n'eut pas à demander à qui la cuisinière faisait référence. Lilah et moi allons très bien. Rolf aussi, je l'espère.

— Votre cachette est-elle encore sûre ?

— Oui, la rassura Celie, ce qui à toutes fins utiles était vrai.

La cuisinière repoussa Celie et se frotta les mains.

— Vous êtes affamée. Ça vous prend de la nourriture. Et votre sœur aussi.

La cuisinière remarqua le chaos dans son domaine pour la première fois, et son visage devint violacé.

— Ramassez ce désordre ! Arrêtez de geindre !

Les filles de cuisine s'activèrent selon ses ordres, et Celie tira sur la manche de la cuisinière.

— Pardonnez-moi, madame ? Je ne veux pas... bon, d'accord, je veux de la nourriture. Mais quelque chose d'autre, aussi.

— N'importe quoi, acquiesça distraitement la cuisinière.

Elle coupait d'une main experte des tranches de pain épaisses.

— Je veux que vous quittiez le château. Tous et toutes.

Le long couteau s'immobilisa, de même que la bonne qui ramassait les pelures de pommes de terre sur le plancher.

La cuisinière se tourna lentement vers Celie.

— Vous devez tous et toutes partir, répéta Celie en souriant à l'imposante femme. Toutes les personnes loyales envers le château Malicieux devraient s'en aller. Khelsh n'aura personne sur qui régner si le château se vide de tous ses sujets, à l'exception des conseillers.

— Et qu'en est-il de vous et de votre sœur ?

La cuisinière avait la voix tranchante.

— Nous resterons ici, déclara Celie, tremblant légèrement. Nous devons trouver un moyen d'arrêter Khelsh.

— Comment ?

— Nous trouverons, répondit Celie.

Elle affichait une confiance farouche qu'elle ne ressentait pas réellement, toutefois.

Voyant bien que la cuisinière n'était pas convaincue, elle essaya une autre tactique.

— Ce sera plus facile si nous n'avons pas à nous inquiéter qu'il vous punisse dans le but de nous atteindre.

— Mes filles peuvent quitter, concéda la cuisinière à contrecœur. Mais moi, je suis née au château.

Elle brandit le long couteau à pain dentelé, et la gorge de Celie se serra.

— Je sais… c'est pourquoi j'ai besoin de votre aide, lui confia Celie.

Elle trouvat soudainement de l'inspiration dans la réflexion de la lueur de la chandelle sur la lame du couteau.

La cuisinière souleva un sourcil et se croisa les bras sur sa poitrine, le couteau pointant vers le haut.

— Je veux que vous rassembliez tous les soldats loyaux, ainsi que tous les fermiers et bergers qui peuvent manier une fourche ou tirer une flèche, dit Celie.

Elle sentait ses épaules se redresser et son visage reprendre des couleurs tandis qu'elle s'enthousiasmait peu à peu pour sa nouvelle idée.

— Je veux que des messages soient envoyés dans tout Sleyne, et à tous nos alliés en dehors de Sleyne : Grath,

Keltin, tous. Nous avons besoin de tous ces gens pour assiéger le château.

Hochant négativement la tête, la cuisinière se remit à trancher le pain.

— Le château ne peut être pris d'assaut, répondit-elle.

— Pas lorsqu'il était vivant, nuança Celie en essayant de ne pas s'étouffer sur ses mots.

Déposant le couteau, la cuisinière se tourna de nouveau vers Celie. Elle mit ses énormes mains de chaque côté du visage de la jeune princesse, et ses yeux bleus plongèrent dans ceux de cette dernière.

— Rien ne peut venir à bout du château Malicieux, affirma la cuisinière.

— Vous avez raison, madame, dit Celie.

La cuisinière enleva ses mains du visage de Celie et regarda autour d'elle. Les domestiques étaient tous là, debout, à observer. Elle leur fit un vif signe de tête.

— Vous avez entendu la princesse ! Ramassez vos effets personnels, mettez la nourriture dans des paniers. Nous ne laisserons rien à manger à ces rats !

Les employés crièrent de joie et commencèrent à s'activer sur-le-champ. Ils remplirent panier après panier et enveloppèrent d'énormes fromages, jambons et miches de pains dans leurs vêtements et objets personnels. La cuisinière remplit un énorme panier pour Celie et elle le glissa sous la table pour que la princesse puisse l'emporter par la suite. Elle mit ses meilleurs couteaux dans un panier, les couvrit de tabliers propres et posa une tarte sur le dessus.

— Éteignez les feux ! rugit-elle à l'intention des bonnes.

— Vous devrez emprunter une sortie secrète, les informa Celie.

Elle venait de se dire que plusieurs dizaines de personnes, portant de gros paniers de nourriture, ne pouvaient tout simplement pas sortir par la grande porte. Elle sortit son atlas pour le consulter. Après un moment, elle prit une page et la montra à la cuisinière.

— Guidez-les par là, ordonna-t-elle en traçant la voie du doigt. Vous passerez par les quartiers des couturières — assurez-vous de leur dire de partir avec vous —, puis vous emprunterez ce passage secret ici dans les magasins. Vous sortirez derrière les écuries et quitterez le château par l'une des portes latérales.

— Vous êtes une merveille, la complimenta la cuisinière, glissant le plan dans la poche de son tablier.

Celie rougit et se mit sur la pointe des pieds pour embrasser la cuisinière sur la joue.

— Je vous promets que nous tiendrons une grande célébration lorsque Khelsh sera délogé.

— Il y aura une grande tarte à la crème anglaise juste pour vous, promit la cuisinière, sachant que c'était le dessert préféré de Celie.

— Je m'en souviendrai, dit Celie, se réjouissant pour la première fois depuis qu'elle avait senti le château mourir.

Chapitre 22

Celie parcourut prudemment le château. Lorsqu'elle croisait des bonnes, des valets et des gardes, elle leur ordonnait de partir. Elle conduisit jusqu'aux écuries une file de valets par un passage secret, puis elle revint à l'intérieur du château et convainquit certains des gardes royaux de faire de même. Elle commença à s'inquiéter, cependant, lorsqu'elle se rendit compte qu'elle n'avait pas vu le moindre signe de Rolf ou du Conseil.

S'armant de courage, elle prit la direction de la salle du trône. Parvenue au coin du corridor de la grande salle, elle prit soin, à l'aide du petit miroir à manche de cuivre que le prince Lulath lui avait donné, de vérifier si la voie était libre. Elle pouvait voir que les gardes de Khelsh se tenaient à l'extérieur de la salle du trône. Sa gorge devint sèche, et elle comprit que le Conseil était rassemblé derrière ces portes, ainsi que Rolf, sinon les gardes n'auraient pas été de faction.

Celie repartit dans le couloir vers la porte des serviteurs. Elle l'ouvrit avec précaution, puis, s'assurant que la tapisserie de l'autre côté était toujours à sa place, elle colla son oreille contre la fente et elle écouta attentivement. À sa grande surprise, la première voix qu'elle entendit fut celle de Lulath.

— Cette atrocité est la plus terrible! s'exclama le prince de Grath, la voix tremblante. Vous avez pris en otages les enfants Malicieux et fait le meurtre, oui, le *meurtre*, du château Malicieux! Je ne peux pas rester assis pendant que vous faites ces horribles crimes, Khelsh!

— Je dirige le Conseil de régence et je suis l'héritier au…

— Vous n'êtes l'héritier de rien, le coupa Rolf, la voix glacée. Je n'ai pas signé l'entente de succession *et je ne le ferai jamais*. Si je meurs, le château Malicieux et le royaume de Sleyne relèveront de ma sœur Cecelia. L'évêque de Sleyne a signé l'acte de succession en tant que témoin ce matin, et le document est en sa possession.

Des frissons parcoururent le dos de Celie. C'était *elle*, l'héritière de Rolf?

— Princesse Celia? ricana Khelsh. Princesse Celia, où? Et princesse Dellah? Personne ne les as vues! Vous êtes seul. Votre ami de Grath ne peut vous sauver. Le château est mien! Sleyne est à moi!

Il rit méchamment de nouveau.

Celie retint son souffle dans l'attente de la réponse de Rolf ou de Lulath, mais elle entendit plutôt un drôle de reniflement. La tapisserie bougea, puis elle entendit des aboiements agités. Elle baissa le regard et vit JouJou, le chien de Lulath couleur caramel, qui pointait son museau sous le lourd tissu dans le but de la rejoindre.

— Qu'est-ce qui se passe ? On dirait que votre chien a trouvé un rat, Votre Altesse, résonna la voix amusée de l'émissaire.

Ce dernier tira brusquement la tapisserie sur le côté, révélant la présence de Celie qui clignait des yeux dans l'entrée. JouJou lui tournait autour des pieds dans une joie inconsciente. Celie dévisagea l'émissaire et se pencha pour prendre le petit chien sans lâcher le grand homme du regard.

— Celie ! Ça va ?

Rolf bondit de son siège et s'approcha d'elle les bras tendus.

— Oui !

Elle tenta de courir vers lui, mais l'émissaire la retint par les épaules.

— C'est merveilleux, ronronna-t-il. Ça fait des jours que je souhaite vous parler, princesse Cecelia.

— Et ça fait des jours que je souhaite vous donner un coup de pied dans les tibias, rétorqua Celie, qui entendit le prince Lulath rire brièvement. Mais j'ai dû me contenter de mettre du fumier sur vos chaussures.

Khelsh rugit et se précipita vers elle. Celie lâcha JouJou, qui retomba sur ses pattes comme un chat et commença à japper, tandis que la jeune fille courait vers la porte après s'être défaite de la poigne de l'émissaire.

— Rolf ! Lulath ! cria-t-elle par-dessus son épaule.

Elle s'élança par la porte, faisant tomber les deux gardes, et elle courut aussi vite qu'elle le put dans la

grande salle. Elle traversa une arche, tourna immédiatement à droite et entra dans la première pièce qu'elle vit.
Rolf et Lulath la suivirent, essoufflés, mais elle ne s'arrêta
pas, même lorsque Lulath ferma et verrouilla la porte
derrière eux.

— Je suis sûr que Khelsh nous a vus entrer ici, chuchota Rolf.

— Probablement, répondit Celie.

Elle était déjà de l'autre côté de la pièce, à ouvrir les
volets. La fenêtre donnait sur la cour intérieure. Elle fit
un signe de main à Lulath, qui s'en faisait pour JouJou, et
elle fut prise de remords en se souvenant qu'elle l'avait
laissé tomber.

— Je suis désolée si je lui ai fait mal, s'excusa Celie,
mais vous devez sortir d'ici. Veuillez vous dépêcher.

— JouJou va bien, affirma Lulath en traversant la
pièce en quelques enjambées. Vous d'abord, petite Celie,
et je vous donne le chien.

— Je reste, dit Celie.

Rolf expira bruyamment.

— Je savais que tu dirais ça! Nous n'avons pas le
temps, Cel. Lulath et toi devez fuir et…

— Lilah est coincée dans la tour des longues-vues,
l'interrompit Celie. Je dois retourner la chercher.

Ils entendirent des voix provenant de gens qui les
poursuivaient dans le couloir. Les deux jeunes hommes
échangèrent des regards inquiets.

— J'ai renvoyé tous les domestiques, les informa
Celie. Je leur ai dit de rassembler toutes les personnes en
mesure de combattre afin d'assiéger le château. Mais
Lulath et toi devez rallier l'armée. Nous avons besoin des

Grathiens et même des Vhervhinois, si le roi accepte de prendre position contre son propre fils. Personne ne voudra me suivre au combat, mais chacun vous suivra, vous deux.

Rolf et Lulath échangèrent un autre regard.

— C'est mon château, dit Celie. Je serai la dernière à en sortir.

— Comment sortiras-tu *d'ici*?

Rolf avait le visage tendu et il montrait la pièce à grands gestes. Ils pouvaient entendre quelqu'un tout juste de l'autre côté de la porte.

— Il y a une trappe sous ce canapé, pointa Celie. On aboutit dans les quartiers des couturières.

— D'accord, acquiesça Rolf. Mais assure-toi de l'utiliser.

Il l'embrassa rapidement sur la joue, prit le chien des mains de Lulath et sortit par la fenêtre.

— Nous gagnerons, affirma Lulath.

Il leva le poing en signe de victoire. Il embrassa aussi Celie sur la joue, puis suivit Rolf.

— Passez par les écuries, leur dit-elle à voix basse.

Le loquet fut violemment ébranlé, mais il tint bon. Celie se glissa sous le canapé, souleva la trappe le plus qu'elle le pouvait et s'y glissa à reculons. Elle tomba sur une table de la salle de couture principale, et le claquement de la trappe se refermant fut enterré par le fracas causé au même moment par l'un des hommes de Khelsh qui réussissait à défoncer la porte.

Il faisait noir dans les quartiers des couturières. Celie descendit de la table et trouva son chemin à tâtons jusqu'à la porte. Dans le couloir, elle prit la lampe à l'huile la plus près et l'emporta avec elle, ne sachant pas si les lampes qui se trouveraient plus loin sur son parcours seraient elles aussi allumées.

Celie se rendit aux cuisines, puis dut placer la lampe en équilibre sur le panier de provisions, qu'elle devait porter à deux mains. De l'huile se renversa sur le couvercle, et elle espéra que la flamme n'atteigne pas le liquide, pour éviter de mettre le feu au panier. Son cœur battit encore plus fort que jamais tandis qu'elle se déplaçait dans les passages du château vers la tour des longues-vues.

Si jamais elle devait croiser Khelsh ou des membres du Conseil, elle ne savait pas encore ce qu'elle ferait. Elle supposa qu'elle pourrait lancer son panier dans leur direction, les aspergeant de l'huile de la lampe et de la flamme, mais elle était terrifiée rien qu'à y penser. Et si l'huile l'éclaboussait elle aussi…, elle décida qu'il valait mieux ne pas y penser.

Celie se restreignit plutôt aux passages les plus étroits et les moins fréquentés, se rallongeant ainsi beaucoup pour se rendre à la tour. Ce fut une bonne idée car, lorsqu'elle emprunta un raccourci par la blanchisserie, elle trouva un petit groupe de blanchisseuses, blotties parmi les grandes lessiveuses de cuivre, se tenant la main et priant à voix haute pour se faire secourir.

— Je peux vous aider, dit Celie en déposant son panier sur une table de pliage.

Elles eurent toutes le souffle coupé et remercièrent le ciel en chœur.

— Votre Altesse !

La blanchisseuse en chef reconnut Celie, fit une profonde révérence, donna un coup de coude à la jeune fille à ses côtés, et toutes les blanchisseuses se dépêchèrent de se lever pour la saluer à leur tour.

— Bonjour… madame.

Celie, qui ne se souvenait plus du nom de cette femme, se sentit submergée par une vague d'épuisement.

— Rolf, le roi Malicieux, a renvoyé tous les domestiques. Nous voulons que toutes les personnes demeurées loyales envers le royaume de Sleyne et notre famille partent à l'instant. Nos soldats loyaux, dirigés par Rolf, le roi Malicieux, vont assiéger le château et chasser Khelsh et le Conseil.

— Le prince Khelsh est donc derrière tout ça ?

La blanchisseuse en chef montra la pièce des bras, mais Celie comprit qu'elle parlait de la mort du château.

— Évidemment.

— Je ne l'ai jamais aimé, poursuivit la blanchisseuse en chef.

— C'est bien, dit Celie qui ne trouva rien d'autre à dire. Si vous voulez bien me suivre, je vous conduirai hors du château.

— Un petit bout de femme comme vous, princesse Cecelia ? s'exclama la blanchisseuse en secouant la tête. Je n'en crois pas mes yeux. Nous allons nous-mêmes trouver notre sortie et…

Mais Celie secouait maintenant la tête.

— Je suis désolée, mais c'est trop dangereux. Si vous êtes prises à essayer de vous enfuir… je ne sais honnêtement pas ce qui pourrait vous arriver. Je vais vous mener à l'une des sorties secrètes.

Son cœur frémit à cette pensée, mais elle essaya de ne pas le montrer. Si elles se faisaient prendre… elle ne savait vraiment pas quel genre de punition Khelsh pourrait leur infliger. Tout de même, il n'y avait rien d'autre à faire.

Tandis que les blanchisseuses ramassaient leurs choses, Celie empoigna son panier, le miroir et la lampe, puis elle prit la tête du groupe de femmes silencieuses. Elles sortirent subtilement de la salle de lavage avec Celie qui utilisait le miroir à tous les angles des couloirs pour vérifier que chaque passage était libre.

Elles mirent ce qui sembla des heures à aboutir à une petite porte près du tas de fumier et elles restèrent un instant à cet endroit à cligner des yeux dans le soleil couchant. L'heure du dernier repas de la journée était passée depuis longtemps. Celie se demanda dans quel état d'affolement devait maintenant se trouver Lilah et si Rolf avait réussi à rassembler beaucoup de soldats.

— Si vous traversez rapidement les écuries, vous pourrez sortir par l'arrière et fuir par les pâturages, expliqua Celie à la blanchisseuse en chef.

— Merci, Votre Altesse.

La femme lui fit une autre grande révérence.

— Les voici !

Les blanchisseuses poussèrent toutes un cri d'effroi à la vue d'un soldat vhervhinois tournant le coin du château. Celui-ci les avait également aperçues.

— Courez ! cria Celie.

Sans prendre la peine de penser aux conséquences, elle lança spontanément la lampe en direction du soldat, aspergeant ainsi d'huile les pierres de la cour. À cette si courte distance des écuries, les pierres étaient couvertes de morceaux de paille. La paille s'enflamma, et les blanchisseuses se remirent à crier de plus belle.

— FUYEZ !

Celie ramassa son panier et détala à toutes jambes vers le château. Elle s'en voulait de devoir abandonner les blanchisseuses, mais elle devait penser à Lilah. Elle vit du coin de l'œil le soldat qui, pris de panique, courait pour éteindre le feu, et elle espérait avoir ainsi le temps de lui échapper. Elle barra la petite porte derrière elle, puis se précipita le plus rapidement possible dans le couloir assombri, dans cette obscurité et ce calme inhabituels du château qui l'assaillaient de toutes parts.

Elle ne pouvait se presser, en fin de compte. Lorsqu'elle arriva aux parties du château qui lui étaient plus familières, Celie se déplaça avec la plus grande précaution et, conséquemment, très lentement. Elle longeait les murs des couloirs, déposait son panier bien avant les coins afin d'aller observer avec le miroir. Si la voie était libre, elle se dépêchait de revenir sur ses pas, de reprendre le panier et de continuer son chemin, encore plus lentement, car le panier semblait s'alourdir chaque fois qu'elle le soulevait.

Presque arrivée à la pièce donnant sur le balcon, d'où elle pourrait grimper sur le toit et remonter dans la tour, elle se rendit soudain compte, sans même avoir à utiliser le miroir, que des personnes s'approchaient. Elle entendait clairement les voix de deux soldats, qui marchaient au pas dans le couloir adjacent. Comme ils parlaient vhervhinois, elle savait qu'il ne s'agissait pas de gardes du château qui se seraient perdus.

Celie regarda autour d'elle, affolée, mais il n'y avait pas de porte tout près qui lui aurait permis de se cacher. Seul un long escalier se trouvait derrière elle. Elle savait qu'elle ne réussirait pas à le descendre à temps, avec ou sans panier.

Elle était toujours figée par l'indécision lorsque les hommes tournèrent le coin. Celie resta sur place devant les soldats qui, dans des cris d'excitation, se précipitèrent vers elle. Elle se sentit soudainement très calme, comme si les pierres du château lui insufflaient de la force, comme elles l'avaient toujours fait.

Celie enfonça fermement le bout pointu du manche de son miroir sur le dessus de la main du premier homme à parvenir à elle.

Comme il criait et se tenait la main blessée, Celie en profita pour l'attraper par le coude et le faire tourner autour d'elle, comme dans un mouvement de valse. Il trébucha sur le panier et débaula l'escalier.

Son compagnon se pointa à son tour devant elle, les mains tendues pour se protéger du manche. Celie prit un biscuit de sa ceinture, puis l'écrasa pour en faire de petits morceaux durs qu'elle lui lança dans les yeux, ce qui eut pour effet de l'aveugler en raison des miettes et des gros grains de sucre. Il rejoignit en hurlant son compagnon au bas des marches après que Celie eut tendu le pied pour le faire trébucher.

Elle remit le miroir dans son corsage, reprit le panier et partit en courant dans la direction d'où étaient arrivés les soldats, c'est-à-dire de l'autre côté du coin dans le couloir qui menait à la pièce du balcon.

Une fois sur le balcon, Celie dut faire face à un autre problème. Elle ne pourrait absolument pas transporter le panier sur le toit, si jamais elle parvenait d'abord à le hisser sur les tuiles. Maugréant de ne pas avoir pensé à prévoir plus de corde ou une échelle, elle sortit du panier toute la nourriture et en confectionna des paquets au moyen de serviettes de table. Elle accrocha les paquets à sa taille et enfouit une bouteille de cidre dans son corsage, heureuse que la robe de la bonne ait un bustier plus large que la sienne.

Ainsi chargée, les genoux tremblant de fatigue et de tout ce qu'elle avait fait ce jour-là, elle se rendit maladroitement à la rampe du balcon, d'où elle grimpa sur le bord du toit. Elle resta allongée un moment, inconfortable sur les tuiles aux côtés tranchants, un gros morceau de fromage dur lui enfonçant le bas du dos. Elle leva les yeux vers les étoiles. Il faisait très noir ; il n'y avait qu'un mince croissant de lune.

Celie aurait voulu se transformer en oiseau, en chauve-souris ou même en dragon pour pouvoir s'envoler au loin. Elle se demanda si les étoiles étaient aussi froides qu'elles en avaient l'air, et elle essaya d'imaginer la sensation que l'on pourrait éprouver à toucher l'une d'entre elles. Elle s'endormit presque, mais un gargouillement sonore provenant de son estomac lui rappela qu'elle transportait de la nourriture, qu'elle était étendue sur le toit et que Lilah était probablement effrayée plus que tout.

Celie se retourna sur le ventre et traversa le toit sur les mains et les genoux en rampant, se cognant la tête contre la tour lorsqu'elle parvint finalement à l'atteindre.

Elle tira plusieurs fois sur la corde qui pendait. Comme rien ne se produisait, elle l'utilisa pour se relever et regarda ensuite la petite fenêtre vers le haut, éclairée faiblement par ce qui ressemblait à une seule et unique chandelle.

— Lilah! Lilah!

Celie appela doucement sa sœur, au début, puis de plus en plus fort jusqu'à ce qu'une tête apparaisse dans la faible lumière.

— Celie, ma chérie, est-ce que tu vas bien?

— Oui, mais je suis si fatiguée, répondit Celie.

Elle s'agrippait à la corde avec ses doigts encore endoloris d'avoir tenu le panier.

— Je ne sais pas comment je vais faire pour grimper.

— J'ai fabriqué un genre de système de poulies en me servant des pieds de la table, l'informa Lilah. Attache encore la corde sous tes bras, et je vais te hisser jusqu'ici.

Celie fit le nœud le plus solide possible, et Lilah commença à la tirer vers elle le long de la tour. Celie s'érafla le visage contre le mur rugueux, et ses genoux se cognèrent douloureusement contre une pierre en saillie, si bien qu'elle s'appuya finalement les pieds contre le mur pour tenter de marcher vers le haut, pendant que Lilah tirait la corde de son côté.

Lorsque Celie atteignit la fenêtre, elle perdit l'un de ses paquets de provisions en tentant de s'engouffrer à l'intérieur de la pièce, et Lilah eut le souffle coupé de douleur lorsqu'elle reçut sur le pied la bouteille de cidre tombée du corsage de sa sœur.

— Désolée, marmonna Celie.

Puis elle s'effondra sur le plancher.

Lilah ne put retenir une exclamation d'inquiétude, et Celie ne fit que gémir en guise de réponse. Elle eut à peine conscience que sa sœur la libérait des paquets qu'elle portait, ainsi que du miroir, des miettes de biscuit et de l'atlas. Lilah dévêtit doucement Celie et l'aida à passer une robe propre ; elle lui lava le visage et les mains, et elle l'aida à s'étendre sur leur lit de fortune. Elle lui apporta des tartelettes, à peine légèrement écrasées, et une tranche de pain garnie de jambon et de fromage ferme.

Celie réussit à manger en position allongée, puis elle raconta à Lilah toutes ses aventures depuis son départ de la tour. L'horreur qui s'exprimait sur le visage blême de Lilah lui fit prendre conscience qu'elle l'avait vraiment échappé belle quand Khelsh et les soldats avaient failli l'attraper.

— Je dois maintenant dormir, murmura-t-elle en terminant son récit.

Elle ferma les yeux et sombra dans un sommeil sans rêve avant même que Lilah ne puisse répondre.

Chapitre 23

Au matin, Celie était courbaturée de partout et arrivait à peine à bouger. Quand elle sortit finalement de ses couvertures, elle vit que Lilah semblait éprouver le même genre de raideurs en tentant de s'habiller.

— Je n'arrive pas à lever les bras au-dessus de la tête, confessa Lilah dans un rire semi-hystérique. Ils sont si endoloris. J'ai probablement trop forcé pour te soulever !

— Si seulement j'avais trouvé une échelle de corde, se désola Celie. Mais j'ai complètement oublié.

— Ne t'en fais pas, la rassura Lilah. De toute façon, je ne sais pas où tu aurais pu en trouver une. Et tu étais occupée à aider tous et chacun.

Celie aida Lilah à s'habiller, puis Lilah fit l'inverse. Elles se régalèrent de cidre, de tartelettes et de saucisses en planifiant ce qu'elles allaient faire.

— Il faut clairement que nous sortions du château, dit Lilah. On n'y peut rien. Nous cacher ici comme des rats ne nous fera pas gagner de batailles, et, à présent, Khelsh et les autres doivent s'être rendu compte que tous les autres ont quitté.

Celie sentit le sol se dérober sous ses pieds. Elles ne pouvaient pas quitter le château, pas au moment où celui-ci avait le plus besoin d'elles ! Elle regarda Lilah, les yeux ébahis, ouvrant déjà la bouche dans un élan de protestation.

— Ne me regarde pas comme ça, l'avertit Lilah. Je suis sérieuse.

Elle leva une main comme pour parer l'expression de Celie.

— Celie, il n'y a rien de plus que nous puissions faire. Hier, je pensais que ce serait préférable pour nous de rester ici, à nous cacher dans le château jusqu'à ce que nous recevions de l'aide. Mais j'ai changé d'idée. Le château est mort, et...

— Et s'il ne l'est pas ?

— Quoi ?

— Et si le château n'est pas mort ?

Celie sentit son cœur se dilater à cette idée. Elle poursuivit sur sa lancée.

— Bon, d'accord, oui, Khelsh a lancé cet horrible sort, mais... et s'il y avait un moyen de le conjurer ?

Elle se souvint de ce qu'elle avait ressenti lorsque les gardes s'étaient précipités vers elle la veille. Elle avait eu l'impression d'être habitée à nouveau par la force du château, l'espace d'un instant.

— D'accord, d'accord, je comprends, dit Lilah. Mais nous ne pouvons rien faire ici dans ce sens. Nous devons sortir, rassembler le Conseil des sorciers et trouver Mère, Père et Bran. Si nous sommes coincées ici, Celie, je ne crois pas que nous puissions faire quoi que ce soit d'autre.

Celie hocha finalement la tête d'approbation. Elle ne parvenait pas à acquiescer à voix haute.

— De toute façon, allons regarder ce qui se passe à l'extérieur, ajouta Lilah.

Se frottant les mains pour faire tomber les miettes, elle se rendit à la fenêtre qui donnait sur le devant du château. Elle regarda dans la longue-vue et eut le souffle coupé. Celie bondit vers elle en un instant.

Celie resta elle aussi bouche bée en jetant un coup d'œil dans la lunette.

Une armée s'était rassemblée dans la plaine devant le château. Des tentes, des rangées d'hommes et de chevaux, ainsi que des feux de bivouac s'étalaient dans une parfaite répartition géométrique. Elle ne pouvait identifier les personnes par leur visage, mais elle pouvait voir que certains hommes étaient revêtus des tuniques jaune vif de l'armée royale, tandis que d'autres portaient des habits simples de fermiers, de bergers et de gens ordinaires. Il y avait aussi une tente d'un bleu éclatant au-dessus de laquelle était déployé le drapeau à faucon de Grath, et une tente couleur prune affichant les arbres jumeaux de Vhervhine. Et fièrement, haut dans les airs, flottait l'étendard de Sleyne : un drapeau à fond vert sur lequel était représenté un griffon d'or dominant une tour argentée.

— Ils ont fait ça vite, commenta Celie. Comment sont-ils tous arrivés aussi rapidement ?

— Sûrement grâce à la lettre de Lulath, celle qu'il a envoyée la semaine dernière, supposa Lilah. Ils doivent être partis dès qu'ils en ont pris connaissance, pour nous débarrasser de Khelsh.

— Bien joué, Lulath, dit Celie.

Elle inspira, regardant à nouveau dans la longue-vue. La grande route n'était plus qu'un large trait noir de personnes et de chevaux se dirigeant vers le château, alors que de plus en plus de personnes se rassemblaient en prévision du siège.

— Vraiment bien joué ! ajouta-t-elle une deuxième fois.

— Maintenant, tu vois bien que nous devons nous joindre à eux, dit Lilah en caressant le dos de Celie.

— Oui, répondit Celie avec plus de conviction.

Elles enfouirent, dans un sac à dos, de la nourriture, la bouteille de cidre (maintenant presque vide), la belle cape de velours remise en cadeau par Lulath, l'atlas et le miroir à manche. Celie glissa Rufus dans son corsage, à défaut d'une meilleure place, et Lilah eut la gentillesse de ne pas passer de commentaire. Lilah enfila le sac à dos et elle utilisa son système de cordes et de pieds de table pour descendre Celie sur le toit en contrebas. Une fois Celie rendue, Lilah remonta la corde, l'attacha encore plus fermement à la table, puis autour de sa taille, et elle descendit en grognant et en poussant de petits cris.

À regarder sa sœur, dont les bras tremblaient de douleur, descendre avec peine de la tour, Celie devint toute en sueur. Lorsque Lilah fut rendue à mi-chemin, la table à l'intérieur de la pièce glissa sur le plancher dans un fort bruit de grincement, ce qui eut pour effet d'accélérer la descente de Lilah, qui poussa un cri d'effroi. Celie se précipita vers elle pour tenter de l'attraper, mais Lilah réussit à retomber sur ses pieds, de façon semble-t-il plutôt douloureuse.

Les deux sœurs restèrent un instant immobiles, enlacées, à reprendre leur souffle. Puis Lilah se détacha, et elles s'avancèrent avec précaution sur les tuiles du toit jusqu'au dessus du balcon, où elles se laissèrent descendre avant de pénétrer à l'intérieur du château.

Le silence qui régnait dans le château était maintenant encore plus sinistre. Les murs épais et les lourdes portes de chêne n'avaient jamais vraiment laissé passer les sons, mais ce silence présent était d'une intensité troublante. Non seulement le château n'observait et n'écoutait plus, mais il ne restait manifestement plus personne.

— Les membres du Conseil sont-ils eux aussi partis ?

Ces quelques mots murmurés par Lilah firent sursauter Celie qui, avec son miroir, était à observer un autre couloir, désert lui aussi. Elles étaient presque rendues aux cuisines et elles n'avaient pas vu un seul soldat, ni un conseiller, au cours de l'heure durant laquelle elles s'étaient aventurées sur la pointe des pieds dans le château vide.

— Ils sont peut-être tous partis, suggéra Celie en guidant sa sœur dans le couloir et jusque dans les cuisines. Nous sommes peut-être les seules qui restent.

— Pas tout à fait. Certains d'entre nous y sommes encore, lança une voix sèche.

Celie et Lilah figèrent sur place. Deux conseillers étaient assis dans les cuisines, à manger ce qui semblait des bols de gruau très grumeleux. Il y avait le seigneur Feen, accompagné du seigneur Sefton qui, force est de le constater, avait été libéré du donjon. C'était ce dernier qui venait de parler. Il se leva et s'inclina devant les sœurs.

— Veuillez vous joindre à nous, Vos Altesses, dit-il sans la moindre trace de sarcasme ou de menace.

— Non, merci, Seigneur Sefton, répondit fermement Lilah.

Elle agrippa Celie par le bras et commença à rebrousser chemin.

— Nous ne vous ferons pas de mal, insista doucement le seigneur Feen.

Il avait l'air plus vieux que son âge ; son visage était si ridé et gris qu'il était pénible à regarder. Ses mains tremblaient.

— Nous avons déjà causé assez de dommages.

Celie sentit la pitié lui envahir le cœur en voyant à quel point le seigneur Feen avait l'air… brisé. Puis la pitié se changea en colère : comment *osait*-il prendre un air repentant ! Non, pas après avoir regardé passivement le prince Khelsh admettre avoir essayé de tuer ses parents et menacer Rolf. Pas après s'être contenté de regarder Khelsh tuer le château !

Lilah essaya encore une fois de la tirer vers l'arrière, mais Celie se secoua pour se libérer.

— Traîtres !

Ce fut le premier mot à franchir les lèvres de Celie.

— Horribles traîtres ! Comment osez-vous même nous parler ? Comment osez-vous vous asseoir ici dans le château et manger notre nourriture ? Vous méritez de mourir !

— Celie !

Lilah attrapa Celie par la taille et essaya de l'amener avec elle.

Celie se débattit, s'éloignant ainsi de sa sœur, se rapprochant par le fait même des deux hommes. Elle se tint là, devant eux, à trembler et à les dévisager au travers de ses cheveux emmêlés.

— Celie, s'il te plaît, partons, chuchota Lilah.

Celie trouva intéressant que sa sœur, qui normalement se montrait toujours polie à l'excès, ne s'excuse pas auprès des deux hommes et ne les regarde même pas. Celie fit un autre pas vers la table, s'éloignant de Lilah. Le seigneur Feen recula même un peu.

Le seigneur Sefton, quant à lui, se mit à rire. C'était un rire sombre, dans lequel Celie ne décela aucun amusement.

— Votre sœur a raison de crier contre nous, dit le seigneur Sefton à Lilah.

Il se tourna ensuite vers Celie, et elle constata que le beau visage de l'homme comportait maintenant des rides et que des mèches grises parcouraient ses cheveux foncés.

— En fait, Votre Altesse, vous avez entièrement raison de nous condamner ainsi : nous sommes des traîtres et nous devrions quitter le château.

— Alors pourquoi ne le faites-vous pas ?

Même Celie fut surprise de la froideur de la voix de Lilah. Elle se retourna vers sa grande sœur et elle comprit pourquoi Lilah tentait de l'emmener avec elle. Le visage de cette dernière était rouge de colère et habité de diverses émotions. Des larmes lui coulaient sur les joues.

— Nous ne pouvons pas, expliqua le seigneur Feen. Khelsh et l'émissaire ont posté des gardes à toutes les portes. Ils sont à votre recherche, mais ils disent qu'ils tueront toute autre personne qui tentera de quitter le château.

— Vous êtes donc *lâches* en plus, renifla Lilah. Je ne suis pas surprise. Allons-nous-en, Celie.

Cette fois, Celie partit avec sa sœur. Elle aurait voulu continuer de crier et de hurler à l'endroit des deux hommes, mais elle savait que ça n'aiderait en rien. Le seigneur Feen resterait là à reculer et à avoir l'air si perdu et *vieux*, tandis que le seigneur Sefton semblait accepter la punition de bonne grâce. De plus, elle sentait Lilah trembler, et elle voulait la faire sortir du château le plus rapidement possible. Si Khelsh surveillait effectivement toutes les portes, elles devraient planifier attentivement leur itinéraire.

Bien sûr, il y avait des portes que Khelsh et l'émissaire ne connaissaient pas. Celie aurait parié qu'elle pouvait en trouver au moins deux qu'ils n'avaient jamais vues auparavant.

— Attendez! Vos Altesses! Où allez-vous?

Le seigneur Sefton leur tendit une main.

— Nous allons rejoindre notre frère et son armée, les informa noblement Lilah. À l'extérieur.

— Ne faites pas ça, s'il vous plaît, les supplia le seigneur Sefton, sincèrement effrayé. N'avez-vous pas peur…

Celie se retourna encore et le regarda, l'arrêtant au milieu de sa phrase.

— Je n'aurai jamais peur de marcher dans les couloirs de mon château, dit-elle. Même si Khelsh l'a tué. *Alors que vous étiez là à le regarder faire.*

Les sœurs se retournèrent pour partir encore une fois, mais Sefton retint de nouveau leur attention.

— Le château n'est pas mort.

Celie et Lilah s'arrêtèrent net. Elles échangèrent un regard, mais Celie n'osa pas regarder l'homme. Elle ne voulait pas découvrir qu'il mentait pour essayer de regagner son appui ou pour paraître moins traître.

— Rien ne pourrait réellement tuer le château Malicieux, à moins de le déconstruire pierre par pierre. Et encore, ce n'est pas certain, précisa le seigneur Sefton aux deux jeunes filles qui avaient toujours le dos tourné. Il n'a pu que l'endormir.

Lilah se retourna, mais seulement à moitié.

— Je ne vous crois pas. Viens, Celie.

— Vous devriez le croire, renchérit le seigneur Feen. Il a une formation en sorcellerie.

Lilah se retourna complètement, amenant Celie à faire de même.

— C'est vrai?

— J'ai abandonné le Collège de sorcellerie en dernière année, admit le seigneur Sefton avec une grimace de dégoût envers lui-même. Mais je connais quelques trucs et je ne voulais pas prendre part à cette manigance. Je sais à quel point la magie noire peut être dangereuse.

— Comment êtes-vous sorti du donjon?

Celie se mit une main devant la bouche, se sentant ridicule d'avoir oublié de se rendre au donjon pour aller vérifier si le seigneur Sefton était de leur côté.

— Je l'ai libéré, répondit le seigneur Feen. Il n'y avait plus aucune raison de l'y laisser croupir plus longtemps.

Nous sommes tous maintenant dans un donjon géant que nous avons nous-mêmes créé.

— Le château n'est *pas* un donjon, réfuta farouchement Celie.

— Pas mort ? demanda en même temps Lilah.

Puis Celie comprit les propos du seigneur Sefton ; elle les comprit vraiment, et elle se laissa tomber sur le tabouret le plus près.

— Le château n'est pas mort ?

C'était maintenant à son tour de poser la question.

— Non, Votre Altesse, dit doucement le seigneur Sefton. Il n'est pas mort.

— Je te l'avais dit, Lilah, lança Celie dans un hoquet qu'elle refusa de faire suivre de sanglots.

— En savez-vous davantage sur le sortilège utilisé par Khelsh, Seigneur Sefton ? demanda plus directement Lilah tandis que Celie tentait de se ressaisir. Un autre sorcier pourrait-il briser le sort ?

— Je crois que oui… en effet, Votre Altesse ; je crois que nous pourrions renverser le sort, si le sorcier est bien conscient de ce qu'il affronte, répondit le seigneur Sefton.

— Excellent, commenta Lilah. Venez avec nous.

— Lilah, murmura Celie en attrapant la manche de sa sœur pour qu'elle se penche vers elle. Et s'il ment ? Et s'il essaie de nous piéger ?

— Dans ce cas, nous l'abandonnerons dans un coin perdu du château et nous le laisserons mourir de faim, répondit Lilah sans prendre la peine de chuchoter.

Celie émit un petit rire et se remit sur pied. Le seigneur Feen l'imita aussitôt.

— Non, dit Celie d'un ton cassant.

Puis elle rougit.

Peu importe ce qu'il avait fait, le seigneur Feen était le membre le plus vénérable de ce qui avait auparavant été le Conseil de confiance du roi, son père.

— Je suis désolée, Seigneur Feen, poursuivit douce-ment Celie, mais vous ne pouvez pas nous accompagner. Nous allons devoir ramper dans un tunnel…

Elle s'arrêta, ne voulant pas trop en révéler à propos de leur itinéraire d'évasion au cas où Feen ou Sefton fini-rait après tout par les trahir.

— Oh, lâcha Lilah, comprenant où Celie voulait les conduire.

— Oui, lui confirma Celie. Je crois que personne ne connaît ce passage, mis à part toi, moi et Rolf. C'est la voie la plus sûre.

Le seigneur Feen s'assit et hocha la tête.

— Je comprends, Votre Altesse. Il vaut mieux que vous sortiez tous les trois le plus rapidement possible.

— Merci, dit Celie. Venez, vous, si vous le voulez vraiment, ajouta-t-elle à l'attention du seigneur Sefton.

Elle vérifia ensuite si le passage qui partait de la cui-sine était libre, avant de faire signe à Lilah et au seigneur de la suivre.

Ils devraient revenir sur leurs pas pour se rendre au tunnel. Elle marmonnait entre ses dents toutes les fois qu'elle devait se servir de son miroir à chaque angle des couloirs sombres qu'elle venait à peine d'emprunter avec Lilah. Ils auraient à passer au bas de la tour des longues-vues et à se rendre jusqu'au solarium des dames sur le côté sud-est du château. Il y avait là un passage secret qui menait à la chambre royale afin que la reine puisse aller et venir à son aise. Et, sous le plancher de la chambre royale, partait un petit tunnel froid et humide qui débouchait directement à l'extérieur de l'enceinte du château.

Directement dans les douves.

Mais, à condition de savoir nager et de pouvoir retenir son souffle environ 30 secondes, on pouvait plonger sous la grille à la fin du tunnel, puis traverser les douves pour finalement se retrouver en sécurité.

— Vous *savez* nager, n'est-ce pas ? demanda Celie au seigneur Sefton.

Ils durent alors s'entasser dans un placard pour laisser passer deux soldats vhervhinois.

— Nager ? Oui. Pourquoi ?

Le seigneur Sefton était de toute évidence nerveux.

— Vous verrez, répondit Celie.

Elle entrouvrit la porte pour s'assurer que les gardes s'étaient éloignés, puis elle fit signe aux autres de la suivre alors qu'elle se pressait dans le couloir.

Ils atteignirent le solarium sans croiser personne d'autre que ces deux gardes solitaires. Celie déplaça la tapisserie qui recouvrait le mur et appuya sur une brique légèrement plus foncée que les autres. Une partie du mur tourna sur un pivot central dans un bruit de frottement. Celie se glissa la première dans l'ouverture, puis ce fut au tour de Lilah et du seigneur Sefton. Ce dernier ayant eu de la difficulté à s'insérer, Celie s'inquiéta du fait que le tunnel puisse être trop étroit pour lui.

Rolf avançait deux théories à propos de certains passages secrets du château : soit qu'ils avaient été construits pour les gens du peuple Enchanté, qui étaient beaucoup plus petits que les mortels, soit que les humains devenaient de plus en plus grands au fil des générations. Celie n'aimait pas trop penser à la première théorie. Si le château avait été construit pour des créatures magiques, que leur était-il arrivé ? Quelque chose de terrible ? Et si elles n'étaient parties qu'en vacances ? Seraient-elles fâchées de trouver des mortels dans leur château à leur retour ? Peu importe la raison, les parties les plus anciennes du château, les passages secrets, les tunnels et certaines portes étaient plus étroits et trop petits pour que des personnes de taille normale puissent y être bien à l'aise.

Celie progressa dans le passage sinueux avec sa sœur et le seigneur Sefton jusqu'à ce que ses bras tendus atteignent finalement la porte de bois qui menait à la chambre royale. Elle fit marcher ses doigts du côté gauche de la porte jusqu'à ce qu'elle trouve le loquet, sur lequel elle appuya. Elle entrebâilla la porte, jeta un coup d'œil dans la pièce pour s'assurer qu'ils ne surprendraient pas Khelsh en train de sauter sur le lit de ses parents, ou quelque chose du genre, puis ils entrèrent dans la pièce. La faible lumière de la chambre royale dégageant beaucoup plus de clarté que le passage secret, ils restèrent un moment sur place à cligner des yeux.

Lorsque leurs yeux se furent habitués, les trois se dirigèrent vers l'âtre. Celie enroula sa main autour de la torche éteinte, se trouvant dans son support près du manteau de cheminée, puis elle la tourna deux fois. Une des grosses pierres du centre de la cheminée descendit en grinçant, révélant l'embouchure sombre du tunnel.

Le seigneur Sefton, le visage blêmissant, regarda à l'intérieur.

— C'est assurément… étroit, remarqua-t-il.

— Et sombre, ajouta Lilah d'un air sévère. Et il est impossible d'y emporter une torche. De plus, le bout du tunnel est immergé, à cause des douves ; alors, nous devrons franchir la dernière partie à la nage.

— Je… je vois.

— Il faut y aller, dit Celie. Allez-y, quelqu'un.

Une personne, probablement Rolf, avait remis la couronne de son père sur le piédestal près de la cheminée. Elle ne pouvait s'arrêter de la fixer du regard. Et si elle l'emportait ? Ce serait comme une gifle supplémentaire envers Khelsh si jamais il décidait de se proclamer roi. Ou plutôt quand il se proclamerait roi. Lilah et elle se devaient vraiment de prendre la couronne maintenant, pendant qu'elles en avaient l'occasion.

— Allez, Celie, viens ! siffla Lilah par-dessus son épaule malgré l'espace réduit.

Le seigneur Sefton se trouvait devant elle et, l'espérait-on, il n'était pas coincé.

Avec réticence, Celie entra dans le tunnel en rampant, puis elle donna un coup de pied à la pierre pour qu'elle se remette en place. Elle réprima une envie de crier tandis que les murs froids et humides se refermaient sur elle. Elle était assez petite pour manœuvrer, mais elle conclut que les épaules du seigneur Sefton devaient frôler les parois.

Elle commença à avancer, se cognant aussitôt la tête contre le postérieur de Lilah. C'était d'ailleurs ce risque de collision qui avait incité cette dernière à laisser passer le seigneur Sefton en premier. Lilah grommela et demanda à celui-ci de bien vouloir bouger.

Ils rampèrent interminablement avec lenteur. Durant tout ce temps, Celie ne pouvait se chasser de la tête l'image de la couronne abandonnée. Ils pouvaient maintenant entendre un filet d'eau sur le devant, et même apercevoir une faible lueur, ce qui fit pousser un cri de soulagement au seigneur Sefton, qui se mit à progresser plus rapidement.

Il avança bientôt si vite, qu'à l'endroit où le tunnel débouchait dans un autre, plus gros, il tomba la tête la première dans le petit ruisseau qui alimentait les douves. Celie et Rolf avaient un jour essayé de remonter le ruisseau jusqu'à sa source, mais ils n'avaient pu le faire jusqu'au bout, car ils avaient vite constaté, après quelques brasses, que l'eau remplissait entièrement le tunnel et qu'ils ne pouvaient retenir leur souffle assez longtemps pour parvenir à leurs fins. Le seigneur Sefton poussa un cri rauque et se débattit un moment dans l'eau avec force éclaboussures avant de se rendre compte qu'il arrivait à garder pied, même s'il devait demeurer penché, car l'eau ne lui arrivait qu'à la taille.

Lilah et Celie se glissèrent dans l'eau à partir du petit tunnel avec considérablement plus de grâce. Elles barbotèrent jusqu'à la grille et montrèrent à Sefton la descente du tunnel, qui laissait un espace d'environ 45 centimètres entre le plancher de pierre et la grille.

— Nous devons donc essayer de nager en dessous ?

Dans la faible lumière verdâtre, l'homme avait décidément l'air malade.

— Rolf et moi l'avons fait quelques fois, dit Celie avec désinvolture.

Elle pensait encore à la couronne.

— Vous aussi, princesse Delilah? demanda le seigneur Sefton.

Il se tourna anxieusement vers Lilah, qui grimaça.

— Je suis déjà venue dans le tunnel, mais je n'ai jamais passé sous la grille, admit-elle.

Elle n'ajouta pas que c'était parce qu'elle n'aimait pas se mouiller les cheveux, sauf pour les laver, et Celie ne la trahit pas. Elle était trop occupée à prendre une décision.

— Prenez simplement une grande inspiration et utilisez la grille pour vous pousser vers le bas, expliqua Celie à Sefton.

— Je vais y aller en premier, offrit Lilah. Pour ne plus y penser.

— D'accord, acquiesça Celie. Vous ensuite, Seigneur Sefton.

— J'irai le dernier, dit-il faiblement.

— Ce serait préférable que non, rétorqua Celie. Je veux que vous aidiez Lilah à rejoindre l'armée.

— Ce-lie, dit Lilah en étirant son nom. Qu'est-ce que tu planifies?

— Je dois retourner chercher la couronne, répondit-elle. Je ne peux pas la laisser là-bas. Je ne veux pas que Khelsh y touche.

— Tu aurais dû la prendre avant que nous empruntions le tunnel, la réprimanda Lilah. Il est maintenant trop tard!

— Il n'est pas trop tard! argumenta Celie. Je suis petite; je peux faire l'aller-retour en un rien de temps.

Probablement avant même que vous n'ayez traversé les douves. Allez-y. Je vais vous rattraper.

— D'accord, acquiesça Lilah.

Elle lui fit rapidement un câlin.

— Vous allez laisser votre petite sœur y retourner ? demanda le seigneur Sefton en les dévisageant.

— Si quelqu'un peut prendre la couronne et la rapporter, c'est Celie, expliqua simplement Lilah. Venez, mon seigneur.

Elle inspira, s'assit dans l'eau, s'agrippa à la grille pour se pousser vers le bas et passer en dessous. Celie et le seigneur Sefton la regardèrent, retenant eux aussi leur souffle, jusqu'à ce que les jupes de Lilah tourbillonnent sous la grille et qu'elle se propulse vers la surface de l'autre côté.

— À votre tour, annonça Celie.

Comme elle ne faisait pas entièrement confiance au seigneur Sefton, elle le regarda inspirer plusieurs fois, puis expirer en faisant de forts « ha », avant de prendre une dernière inspiration, de se pousser dans l'eau et de passer sous la grille. Il donna des coups de pied et se débattit tellement qu'il arrosa Celie de la tête aux pieds. Elle crut un instant qu'il était coincé et plongea presque pour l'aider. Mais il réussit finalement à passer sous la grille et à remonter de l'autre côté.

Lâchant un soupir de soulagement, Celie retourna dans le tunnel en rampant. Elle avançait rapidement, se sentant très légère maintenant qu'elle n'avait plus à être responsable de qui que ce soit, mis à part elle-même. Tous les domestiques étaient partis, son frère et sa sœur étaient sortis, et le château retrouverait peut-être vie un jour. Elle ouvrit avec empressement la porte de pierre au bout du tunnel et s'élança dans la chambre de ses parents.

Le prince Khelsh n'était pas non plus cette fois-ci en train de sauter sur le lit.

Il était à se placer la couronne sur la tête, sous l'œil attentif de l'émissaire.

Chapitre 24

— Déposez ça !

Celie s'empara de la torche froide dans le support près de sa tête et la lança au prince Khelsh qui, avec surprise, échappa la couronne. Dans un bruit métallique, celle-ci heurta le plancher de pierre et roula vers Celie.

Bondissant du tunnel pour l'attraper, Celie trébucha et tomba lourdement aux pieds de l'émissaire. Elle réussit tout de même à s'emparer de la couronne et elle rampa sur le plancher en la tenant serrée contre sa poitrine.

L'émissaire tomba sur Celie et lui écrasa les côtes. Elle eut tout juste le temps d'expirer de l'air dans un ouf de douleur, car elle devait faire vite. Elle se remit sur ses pieds et sortit de la chambre, Khelsh à ses trousses. Un seul garde attendait à l'extérieur, mais il fut trop étonné pour réagir immédiatement. Très rapidement, cependant, Celie l'entendit se mettre à sa poursuite, accompagné de l'émissaire. Il lui fallait donc semer trois rudes poursuivants.

Elle se rendit à toute allure dans la grande salle sans réfléchir et constata que les portes du portail principal n'étaient pas gardées. Khelsh et ses hommes s'étaient probablement dit que personne n'essaierait de quitter le château par l'entrée principale, au vu et au su de quiconque se déplaçant en direction ou en provenance de la salle du trône.

Bien sûr, il fallait toutefois composer avec l'énorme barre, sculptée dans un chêne âgé de 200 ans, qui avait été déposée dans ses supports pour que les portes restent solidement fermées.

Mais Celie connaissait le château mieux que quiconque.

En passant devant le buste du tout premier roi Malicieux, elle donna une tape derrière la tête de sa Majesté. Le buste et son piédestal furent animés d'un mouvement vers l'avant, qui s'arrêta à mi-course vers le sol, laissant voir un mécanisme sous le rebord du socle. Ce mécanisme mit en branle le dispositif qui, situé sous le plancher, permit de soulever la barre en travers des portes.

Coinçant la couronne sous l'un de ses bras, Celie donna un coup d'épaule dans la porte de droite, qui s'ouvrit grâce à ses charnières bien huilées. La princesse se précipita dans la cour en plein soleil sans jeter un regard derrière elle. Elle constata toutefois la présence de soldats vhervhinois et remarqua que la herse était abaissée et le pont-levis, relevé.

Si elle pouvait parvenir à se rendre aux écuries, elle pourrait emprunter l'un des tunnels sous les douves... ou les casernes. Elle avait aidé tant de bonnes et de blanchisseuses à sortir en toute sécurité qu'elle ne pouvait s'imaginer qu'elle aurait elle-même de la difficulté à fuir.

— Attrapez-la ! cria l'émissaire.

Les hommes dans la cour sortirent tous leur arme.

En un instant, de nombreux gardes armés se retrouvèrent entre Celie et les écuries, situées à côté des casernes. Elle changea donc de direction et se mit à courir vers l'escalier le plus près. Il ne menait qu'à la tour de garde et au chemin de ronde sur le dessus de la muraille, mais elle gagnerait du temps. Elle entendait la respiration difficile de Khelsh derrière elle, mais savait que l'escalier le ralentirait.

Celie grimpa les marches deux à la fois, remerciant le ciel que ses jupes soient plutôt serrées et quelques centimètres trop courtes. Elle coinça la couronne dans sa ceinture et remonta ses jupes malgré tout. Lorsqu'elle atteignit le sommet de l'escalier, s'apercevant qu'un garde observait de la tour la plus proche, elle pivota brusquement et courut sur le chemin de ronde en direction du balcon.

Ce balcon était en fait le dessus du toit plat de la tour du sergent, qui surplombait les douves et qui était assez imposant pour que Celie puisse s'y déplacer dans tous les sens. Lorsqu'elle y fut rendue, elle s'appuya contre l'un des grands créneaux de pierre pour reprendre son souffle. Khelsh était sur le point d'arriver, mais aucun des soldats n'était encore assez près pour constituer une menace pour l'instant.

Celie entendit alors des clameurs de l'extérieur du château, parmi lesquelles plusieurs voix criaient son nom. Elle regarda en direction de l'armée qui était stationnée de l'autre côté des douves. Elle se trouvait directement en face de la plus grosse tente, au sommet de laquelle était déployé le drapeau de Sleyne. Un groupe de personnes rassemblées devant la tente la dévisageaient avec un visage blême. Elle reconnut la robe noire mouillée et les longs cheveux dégoulinants de sa sœur.

Celie décida que le plus important était de sauver la couronne.

— Lilah ! cria-t-elle en sortant l'objet de sa ceinture. J'ai la couronne !

— Celie !

Celie figea.

— Papa ?

Elle se pencha davantage pour mieux voir ses parents, qui avaient porté leurs mains à la bouche, dans un geste de peur.

— Maman !

— Celie, *saute* !

Cet ordre venait de Pogue Parry, qui se tenait à côté d'un homme de grande taille qui ne pouvait être que son frère Bran, maintenant devenu adulte et vêtu de robes de sorcier bleues. Pogue agitait les bras pour attirer l'attention de Celie.

— Saute dans les douves ! C'est là qu'elles sont le plus profondes ! cria-t-il en pointant devant le balcon.

Celie n'eut pas le temps de réfléchir à ce qu'elle devait décider, car Khelsh et l'émissaire avaient atteint le balcon.

— Donnez-nous la couronne, jeune fille, lui ordonna l'émissaire. Donnez-la-nous maintenant.

— Non ! rétorqua Celie en la tenant au-dessus de l'eau. Je vais la laisser tomber si vous vous approchez de moi ! Et ça n'a plus d'importance de toute manière : vous êtes encerclés par trois armées !

L'émissaire ouvrit la bouche pour répliquer, mais Khelsh se précipita vers elle. Celie lança la couronne aussi fort et aussi loin qu'elle le put. L'énorme corps de Khelsh lui coupa le souffle et la fit s'écraser contre le mur lorsqu'il essaya d'attraper la couronne dans les airs. En tombant sur le sol, Celie entendit le bruit d'éclaboussure que fit la couronne en atteignant l'eau.

— Non ! s'écria Khelsh en donnant des coups de poing sur les pierres.

— Ha ! lâcha Celie.

Puis elle essaya de s'éloigner de lui en rampant.

Il ne sembla pas s'en rendre compte, mais l'émissaire, oui.

— Vous ne vous sauverez pas comme ça, lança le traître conseiller.

Il se pencha et saisit le bras de Celie pour la forcer à se relever.

— Vous nous avez causé beaucoup trop de problèmes avec vos petites portes secrètes et vos gamineries. Pour une fois, vous allez être utile à quelque chose.

L'émissaire l'entraîna au bord du balcon et l'entoura d'un bras, empêchant Celie de pouvoir se servir de ses membres supérieurs. Il la mit debout sur le parapet, ce qui entraîna une vague de hurlements au sein de l'armée en face du château.

Khelsh n'était pas idiot : il comprit tout de suite le plan de son acolyte.

— Partez immédiatement, ou la princesse mourra, cria-t-il.

— Non !

Celie se débattit contre l'émissaire, mais la vue des douves tout en bas lui donnait le vertige.

— Il ne le fera pas, ajouta-t-elle en criant.

— Oh, bien sûr que je le ferai, dit doucement l'émissaire. Mettez-moi au défi !

— Capitulez ! cracha Khelsh dans les douves. Je tue le château, je tue la princesse. Capitulez. Je suis le roi !

— Le château n'est pas mort !

Celie pouvait tout juste étirer les doigts de sa main droite jusqu'au dessus du créneau le plus près. Elle s'y agrippa du mieux qu'elle put du bout des doigts. La pierre était si froide.

— Tu es toujours vivant, murmura-t-elle au château. Je le sais.

Il y eut… qu'est-ce que c'était ? Était-ce cette chaleur sous sa main ? Était-ce seulement parce qu'elle touchait la pierre, ou était-ce le château qui essayait de se réveiller ?

Elle prit une grande inspiration.

— Longue vie au roi Malicieux LXXIX ! Longue vie au château Malicieux ! cria-t-elle aussi fort qu'elle le put.

Elle donna ensuite un coup de tête vers l'arrière, et elle sentit le nez de l'émissaire craquer sous l'impact.

— Aaaaïe !

L'émissaire lâcha son étreinte pour se porter les mains au visage. Son nez saignait abondamment. Celie tomba sur les genoux sur le rebord du mur.

La princesse appuya les mains de chaque côté pour se stabiliser. Encore une fois, elle crut sentir une secousse parcourir la pierre, mais c'était peut-être elle-même qui tremblait, tout simplement. Elle sauta vers l'arrière en bas du parapet et se mit à courir, mais Khelsh l'attendait. Il l'attrapa comme elle atteignait le côté du balcon qui donnait sur la cour. Il la fit pivoter sur elle-même, et c'est là qu'elle vit le couteau dans son autre main. Celie lui donna un coup de genou aussi fort qu'elle le put.

— Ça, c'est pour moi, et Lilah, et Ro...

Mais son cri triomphant se termina en un cri de douleur, car le prince, bien qu'il fût plié de douleur, lui asséna un coup de couteau.

Ils furent tous deux surpris de voir le sang se répandre sur la manche de Celie.

Tenant fermement sa blessure, Celie tourna sur elle-même et courut sur le chemin de ronde. Les gardes vhervhinois avaient cessé de se précipiter éperdument dans tous les sens : l'un d'eux était venu bloquer l'escalier, et il y en avait deux de plus dans la tour d'à côté.

Celie était coincée. Elle plaça son bras blessé sur le parapet et elle sentit la pierre se réchauffer sous sa main. Son cœur tressaillit.

— Un bon combat, concéda Khelsh, même si sa voix semblait toujours tendue.

Il réussit à s'approcher d'elle sans boiter.

— Mais maintenant c'est terminé. Plus de sottises.

Avec le couteau, il fit signe à Celie de s'approcher de lui.

Celle-ci ne pensait pas pouvoir courir davantage. Ni se cacher. Elle n'avait nulle part où aller et elle ne voulait pas être celle qui ferait perdre le château à sa famille. Les jambes lui tremblaient, et une goutte de sang tomba sur les pierres grises du château.

Elle se retourna et grimpa sur le créneau le plus près. Elle oscilla un peu et se stabilisa avec ses mains. De l'autre côté des douves, elle vit sa famille et ses amis. Lulath ainsi que Pogue étaient aussi présents. Elle vit même la cuisinière, armée d'un énorme couperet.

— Saute! cria Bran en agitant les bras pour attirer son attention. Saute dans les douves!

Celie hocha la tête, même si elle n'était pas certaine qu'il puisse le remarquer. Sa gorge était si sèche qu'elle ne pensait pas pouvoir encore crier. Elle n'avait pas non plus la force de sauter. Avec Rufus dans son corsage, Celie se sentait inconfortable en raison de la chaleur et de la sueur. Elle sortit l'animal en peluche du bustier et le coinça sous son bras.

— Oh, petit bébé, c'est ta poupée?

Khelsh imita affreusement les pleurs d'un bébé et avança de quelques pas.

Celie se détourna de lui, se préparant à sauter, mais Rufus tomba sur le sol. Elle se pencha pour le ramasser mais, avant qu'elle n'y arrive, les pierres sous ses pieds se mirent à faire des ondulations, et ce fut… la *transformation* de Rufus.

Un lion, un lion ailé — un griffon, comme celui sur le drapeau — se tenait maintenant entre Khelsh et Celie. Khelsh, pris de terreur, échappa son couteau. Celie recula vers l'escalier qui descendait à la cour pendant que le griffon s'élançait sur Khelsh. Elle recula davantage et sentit soudain le vide sous ses pieds. L'un des gardes de Khelsh se rua vers elle et agrippa l'une de ses jupes, mais il était trop tard.

La princesse Celie tomba dans la cour.

Chapitre 25

— Je savais que c'était toi la préférée du château, dit doucement Rolf à l'oreille de Celie.

Le souffle de sa respiration fit bouger des cheveux
dans l'oreille de sa sœur. Pour chasser ce chatouillement,
elle essaya de repousser son frère, mais quelqu'un lui
retenait les bras. Elle essaya d'ouvrir les yeux pour
observer, mais ils étaient recouverts d'un linge froid et
humide. Elle entendait beaucoup de voix, le cliquetis de
l'armure des hommes qui se déplaçaient tout autour et le
bruit des lourdes bottes sur le sol.

— Repose-toi, ma chérie, la pria sa mère.

— Nous vous demanderions de vous écarter, Votre
Majesté, dit poliment Pogue.

— Êtes-vous sûrs de bien la tenir ?

La voix de la reine trahissait de l'anxiété.

— Elle ne pèse pas plus qu'un poulain naissant, répondit-il.

— Elle est aussi légère qu'un plumet, renchérit le prince Lulath.

Celie sentit alors qu'on la soulevait.

Pogue et Lulath la transportèrent d'un endroit inondé de lumière à un endroit plus sombre et frais, mais tout aussi tapageur avec des bruits de pas et de voix. Celie ressentait beaucoup de tendresse et d'amour, et elle se rendit compte qu'ils se trouvaient dans la grande salle.

Et que le château s'était réanimé.

— Tu m'as manqué, murmura-t-elle.

— C'est pour ça que je suis revenu, la taquina Pogue.

— Es-tu encore en train de flirter avec *une autre* de mes sœurs ? demanda Rolf, contrarié. Il n'y a donc aucune femme à l'abri de ta personne ?

— Les garçons, arrêtez, ordonna la reine avec indulgence. Ah ! Voilà sa chambre, juste là.

— Je suis surpris que le château ne l'ait pas placée directement *dans* la grande salle, fit remarquer Pogue.

Ils entrèrent dans la pièce dont les odeurs familières eurent pour effet de réconforter Celie comme l'aurait fait une vieille amie.

— Tu la tiens bien, Bran ? demanda Pogue.

De forts bras la soulevèrent de la civière et la déposèrent dans son propre lit.

— Que s'est-il passé ?

Celie avait finalement eu la force de poser la question pendant qu'elle se blottissait dans ses oreillers. Elle eut un élancement dans le bras droit, mais de solides mains lui vinrent doucement en aide.

— Voilà, dépose-le là-dessus, suggéra Bran en lui glissant un oreiller.

— Le château t'a attrapée, expliqua Rolf, qui fit baisser le coin du lit en s'y assoyant. Personne n'avait jamais vu ça. On aurait dit que les pierres s'étaient ramollies sous toi, et, quand nous t'avons rejointe, tu reposais comme une impératrice dans un lit de soie.

— Et qu'est-il advenu de Khelsh ?

Celie fit des efforts pour s'asseoir, repoussant la compresse avec sa main libre, mais Rolf l'obligea à s'étendre à nouveau. Elle lui sourit. Le visage de son frère s'était aminci depuis la dernière fois qu'elle l'avait vu, et il avait une cicatrice fraîchement guérie au-dessus du sourcil gauche.

— Khelsh, commença Rolf.

Mais il fut tout de suite interrompu par des tss-tss de réprobation venant de sa mère.

— Emporté par le griffon, apparu d'on ne sait où, expliqua Pogue.

La reine lui décocha un regard, et il haussa les épaules.

— Elle aurait fini par l'apprendre de toute manière, Votre Majesté, se défendit-il. Il s'en est emparé, puis ils ont simplement… disparu.

— Oh, lança Celie, qui ne trouvait mieux à dire.

Khelsh était donc mort, ou pas mieux que mort. Elle leva les yeux vers sa mère et Bran.

— Où étiez-vous tout ce temps-là ?

Des larmes lui coulèrent des yeux.

La reine s'assit de l'autre côté du lit et prit Celie dans ses bras.

— Je suis si désolée, ma chérie. Ton père et Bran ont été gravement blessés, et je ne savais plus à qui nous pouvions faire confiance. Bran a réussi à se servir de sa magie pour nous protéger durant l'embuscade, puis nous nous sommes rendus à la chaumière d'un berger. Ce brave homme et sa femme nous ont cachés jusqu'à ce que ton père guérisse. Pogue nous a trouvés au moment où nous avions décidé de prendre le risque de rentrer. Il y avait encore des assassins qui nous cherchaient ; nous avons de nouveau été attaqués sur le chemin du retour mais, heureusement, les hommes du sergent Avery ont réussi à les abattre.

— Le plus difficile a été de convaincre Père de ne pas déclarer la guerre au royaume de Vhervhine, continua Bran en souriant du coin des lèvres. Nous avons croisé le roi Kharth et ses hommes, mais Père était convaincu que l'histoire de l'exil de Khelsh n'était qu'une ruse. Il a fallu des jours de discussions pour que nous puissions enfin tous nous faire confiance.

— Khelsh aurait adoré qu'il y ait une grande guerre entre les Sleynois et les Vhervhinois, commenta Lulath en secouant la tête. Et avec les Grathiens aussi. Cette semaine n'a pas été une grande fête.

— Une fête, je ne sais pas, déclara le roi Malicieux en entrant dans la pièce. Mais que diriez-vous d'un festin de célébration ?

— Papa !

Celie tendit les bras vers lui. Il boita vers son lit et enlaça sa fille.

— Ma Celia-delia, dit-il avec tendresse. Merci d'avoir protégé le château, ainsi que ton frère et ta sœur, pour moi.

— Pardon ? s'exclama Rolf, insulté. Je pense que j'ai fait du bon travail en tant que roi !

— Et je me demande encore si Celie a été courageuse ou insensée, ajouta Lilah qui avait suivi son père jusque dans la chambre. Sauter des remparts ! Faire apparaître un griffon d'on ne sait où !

Mais elle n'arrivait pas à s'empêcher de sourire.

— Vous êtes plus courageuse des filles, trancha Lulath.

— Non, je suis fatiguée, rectifia Celie.

Tout le monde se mit à rire, et Celie rougit, se sentant puérile, mais elle n'arrivait pas à trouver la force d'en faire davantage. La reine chassa tout le monde de la pièce, et tous sortirent après avoir embrassé Celie sur la joue, même Lulath et, au grand embarras de la jeune fille, Pogue. Ses parents furent les tout derniers à lui faire la bise, puis ils quittèrent la pièce pour qu'elle puisse dormir.

Mais Celie n'était pas seule.

— Tu m'as vraiment manqué, murmura-t-elle au château d'une voix somnolente.

Les rideaux des fenêtres se refermèrent, et le château Malicieux peignit le plafond de sa chambre de la couleur d'un ciel nocturne, parsemé de milliers d'étoiles scintillant telles des pierres précieuses.

Remerciements

Entre cet instant précis où un éclair de génie — «Eh, un château magique!» — vous frappe en fin de soirée et cet instant de grâce où votre livre se retrouve en librairie ou sur un rayon de bibliothèque, beaucoup de personnes sont appelées à contribuer au projet. Je suis donc reconnaissante à ma famille et à mes amis d'être toujours derrière moi, et c'est pour cette raison, parmi tant d'autres, que je les aime tant. Nous sommes de plus très chanceux de vivre dans le même pâté de maisons que deux des meilleures gardiennes d'enfants du monde. Merci, Miranda et Ethan, d'avoir joué à Indiana Jones et à Slidebaby durant ces heures et ces heures que j'ai dû consacrer à l'écriture. Et, pendant que les enfants étaient ainsi occupés, j'étais à ma bibliothèque locale, où l'on trouve heureusement des chaises très confortables, de très bons livres et des bibliothécaires des plus gentils!

Je dois aussi remercier ma chère et patiente agente et amie, Amy Jameson, qui ne pleure jamais de frustration (alors que je suis convaincue qu'elle le souhaiterait intérieurement) lorsque je l'appelle pour lui parler d'un tout nouveau livre… même si je n'ai pas encore terminé celui sur lequel je suis censée travailler.

Et merci, mille mercis, à Melanie Cecka, qui m'a gratifié d'un « Oui! » retentissant après que tant d'éditeurs m'eurent dit « Non! ». Cet ouvrage lui est affectueusement dédié, en reconnaissance de ce « Oui! » et parce qu'elle n'a jamais douté que j'avais en moi un tel livre en gestation.

Ne manquez pas le tome 2

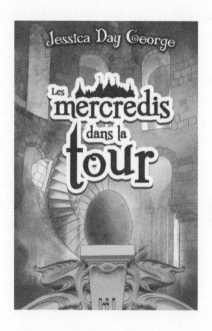

Chapitre 1

Beaucoup de choses peuvent éclore d'un œuf. Un poussin, par exemple. Ou un dragon. Et, lorsque l'œuf en question est de la taille d'une citrouille, de couleur quasi orange, brûlant par surcroît, on se doute qu'il est beaucoup plus probable qu'il en sorte un dragon qu'un poussin. C'est pourquoi lorsque Celie trouva l'œuf

— gros, orange et chaud à s'en brûler les doigts — à l'intérieur de la nouvelle tour, dans un nid de mousse étrangement semblable à de la vigne, elle fut convaincue qu'il contenait un bébé dragon. Quant à savoir d'où il provenait et ce qui se passerait lorsqu'il éclorait, voilà deux questions dont elle n'était pas certaine de vouloir connaître la réponse.

C'était mercredi. Celie ne s'attendait donc pas à trouver de nouvelles pièces dans le château Malicieux. La plus jeune des enfants Malicieux, la princesse Cecelia — Celie, comme presque tout le monde l'appelait — connaissait mieux le château que quiconque parmi ses habitants et elle pensait savoir à quoi s'attendre de sa part. La veille avait été plutôt excitante : la salle au plancher rebondissant s'était retrouvée à l'autre bout du château, et une autre pièce toute en longueur, remplie d'armures exotiques, était apparue près de la galerie des portraits. Il n'était plus nécessaire de grimper dans la cheminée pour se rendre à la salle au plancher rebondissant, mais sa porte était plutôt mal placée, soit directement dans le bureau du père de Celie, le roi Malicieux. Pour sa part, la galerie des armures, comme elle avait déjà été nommée, était judicieusement située, mais les bonnes avaient tout de même failli se révolter à l'idée d'avoir à nettoyer et à polir tant d'objets aux formes étranges.

Après avoir pris son petit déjeuner, Celie ne pensait pas, en montant l'escalier en colimaçon jusqu'à la salle de classe où elle suivait ses cours, qu'elle trouverait ce jour-là quoi que ce soit de plus intéressant que les changements survenus la veille. Elle espérait surtout pouvoir aller observer certaines nouvelles armures après ses cours. Son frère aîné, Bran, revenu récemment du Collège de sorcellerie et désormais devenu sorcier royal, avait promis aux bonnes qu'elles n'auraient pas à nettoyer la galerie des armures, car il ne voulait pas qu'on touche aux articles qui s'y trouvaient. Certaines armes présentaient en effet des pouvoirs magiques, et il voulait d'abord découvrir les particularités de ces armes afin de déterminer si elles pouvaient s'avérer dangereuses. Mais Celie était certaine qu'il la laisserait au moins jeter un coup d'œil si elle arrivait à sortir de classe avant le dîner.

Rendue en haut de l'escalier en colimaçon, Celie ne trouva pas sa salle de classe.

Elle regarda autour d'elle. Elle était dans un long couloir qu'elle n'avait jamais vu auparavant.

Elle ouvrit le sac de cuir qu'elle portait sur son épaule et elle en sortit son atlas, un ensemble de cartes détaillées sur lesquelles elle travaillait depuis des années. Elle l'avait finalement presque terminé et elle avait déjà demandé à certains scribes du château d'en faire des copies pour sa famille, mais elle voulait d'abord y apporter les dernières modifications. Par chance, le château n'avait pas retiré de pièces au cours du mois précédent, bien qu'il ait ajouté des salles plutôt intéressantes (dont une deuxième cuisine, plus petite, et la galerie des armures), et qu'il en ait déplacé beaucoup. La chambre de Celie semblait logée de manière permanente du côté est de la grande salle, mais la chambre de Bran se trouvait maintenant juste à côté de la sienne, et celle de Lilah, tout juste derrière, ce qui faisait bouder cette dernière, car sa chambre était auparavant située plus en hauteur où elle bénéficiait d'une vue fantastique depuis ses deux fenêtres.

Celie feuilleta sa collection de cartes, mais elle ne trouvait rien qui ressemblait à ce couloir. Il n'y avait aucune porte, la salle de classe avait tout simplement *disparu*, tout comme la vieille chambre d'enfant. Personne ne s'était servi de cette pièce depuis des années, évidemment, mais on y avait entreposé les anciens jouets des enfants et les vêtements qui ne leur faisaient plus. Celie trouva la bonne carte, y raya la pouponnière, mit un point d'interrogation à côté de la salle de classe, puis se dépêcha de parcourir le couloir. Elle devait trouver sa classe, tant pour corriger ses cartes que pour arriver à l'heure avant que le maître Humphries ne se fâche.

Au bout du couloir se trouvait une volée de grandes marches en pente douce. Celie pouvait sentir un courant d'air froid provenant du haut de l'escalier, comme si une fenêtre avait été laissée ouverte à l'étage supérieur. Comme plusieurs escaliers du château, les dimensions de celui-ci étaient bizarres. Celie devait presque faire deux pas sur toutes les marches, mais les contremarches n'avaient que quelques centimètres de haut. C'était inconfortable à monter. Heureusement, il n'y avait que huit marches. Arrivée au sommet de l'escalier, la princesse franchit une arche en pierre pour déboucher sur une pièce circulaire sans plafond.

Les faibles rayons du soleil de fin d'hiver entraient dans cette pièce à ciel ouvert. Celie, dont le regard était attiré par le mince voile de nuages, trébucha en avançant. Le plancher de la salle était incliné vers le milieu, comme dans un bol. Au centre du bol se trouvait un nid de mousse et de brindilles, et au milieu de ce nid se trouvait un œuf orange reluisant. Il était de la même couleur qu'une citrouille mûre, et tout aussi gros. Celie resta bouche bée en le voyant.

— Est-ce vraiment un œuf?

Un vent glacial emporta ses mots à travers les fenêtres nues. Elle fit quelques pas prudents vers l'œuf, au-dessus duquel elle se pencha. Elle tendit une main, désireuse de donner un léger coup sur la coquille. Elle s'imaginait qu'il serait froid et très dur, pétrifié après des années passées dans une pièce à l'air libre.

Mais il n'était pas froid. Il était chaud, presque trop chaud pour que l'on puisse y toucher sans réagir.

Celie retira sa main et courut vers la porte. Elle se dépêcha de passer l'arche et de descendre l'escalier en pente douce. Le couloir qui menait à cet escalier était décoré de plusieurs énormes tapisseries, mais elle ne prit pas le temps de s'attarder à les contempler. Elle redescendit ensuite l'escalier en colimaçon et s'arrêta en titubant, confuse, au palier suivant.

La salle de classe se trouvait directement en face d'elle, à l'endroit où elle avait toujours été située. Mais, d'aussi loin que Celie se souvienne, la classe s'était toujours trouvée en haut de l'escalier en colimaçon, pas en plein milieu. Non?

— Princesse Cecelia! l'interpella le maître Humphries en apparaissant à la porte de la classe, l'air impatient. Où étiez-vous? Vous avez un quart d'heure de retard!

— Je suis montée jusqu'en haut de l'escalier; il y a un nouveau couloir au-dessus, dit Celie en pointant le doigt à la verticale.

— Je ne sais pas de quoi vous parlez, dit le maître Humphries en fronçant les sourcils. Veuillez entrer, Votre Altesse. Mieux vaut tard que jamais.

— Mais je crois que je devrais parler à mon frère, dit Celie. Il y a un œuf...

— Un œuf ? répéta le maître Humphries en levant les sourcils. Je suis sûr que le prince Bran saura trouver des œufs dans la cuisine, s'il en a envie, pour le petit déjeuner, dit sèchement le tuteur.

— Non, là-haut, dit Celie en pointant à nouveau son index vers le haut.

— Il n'y a rien là-haut, Votre Altesse, soupira le maître Humphries. Je vous prie de ne pas vous servir du château comme excuse. S'il y a quelqu'un dans ce château qui est capable de retrouver son chemin à temps malgré les caprices de ce dernier, c'est bien vous.

— Mais regardez ! insista Celie en pointant énergétiquement son doigt vers le haut, tout en levant la tête.

Il n'y avait plus rien au-dessus d'elle, mis à part un plafond de pierre grise lisse. Elle se sentit étourdie un instant en constatant qu'elle se tenait maintenant sur la dernière marche de l'escalier en colimaçon. Disparues les autres marches qu'elle venait de descendre, disparu le couloir où elle avait découvert la tour et l'œuf.

— Il y avait un nouveau couloir, dit faiblement Celie. Et une tour sans toit. Un nid. Et un œuf.

— Mais, votre Altesse, dit le maître Humphries, la prenant par le bras pour la faire entrer dans la salle, nous sommes mercredi.